회귀 경찰의 리셋 라이프

The Reset Life

회귀 경찰의 리셋 라이프 9

초판 1쇄 발행 2022년 4월 7일

지은이 | 한길
발행인 | 신현호
편집장 | 이호준
편집 | 송영규 최종건 정재웅 양동훈 곽원호 조정범 강준석 최성화
편집디자인 | 한방울
영업 | 김민원

펴낸곳 | ㈜ 디앤씨미디어
등록 | 2002년 4월 25일 제20-260호
주소 | 서울시 구로구 디지털로 26길 111 JnK디지털타워 503호
전화 | 02-333-2513(대표)
팩시밀리 | 02-333-2514
E-mail | papy_dnc@dncmedia.co.kr
블로그 | blog.naver.com/gnpdl7

ISBN 979-11-364-3218-6 04810
ISBN 979-11-364-2581-2 (SET)

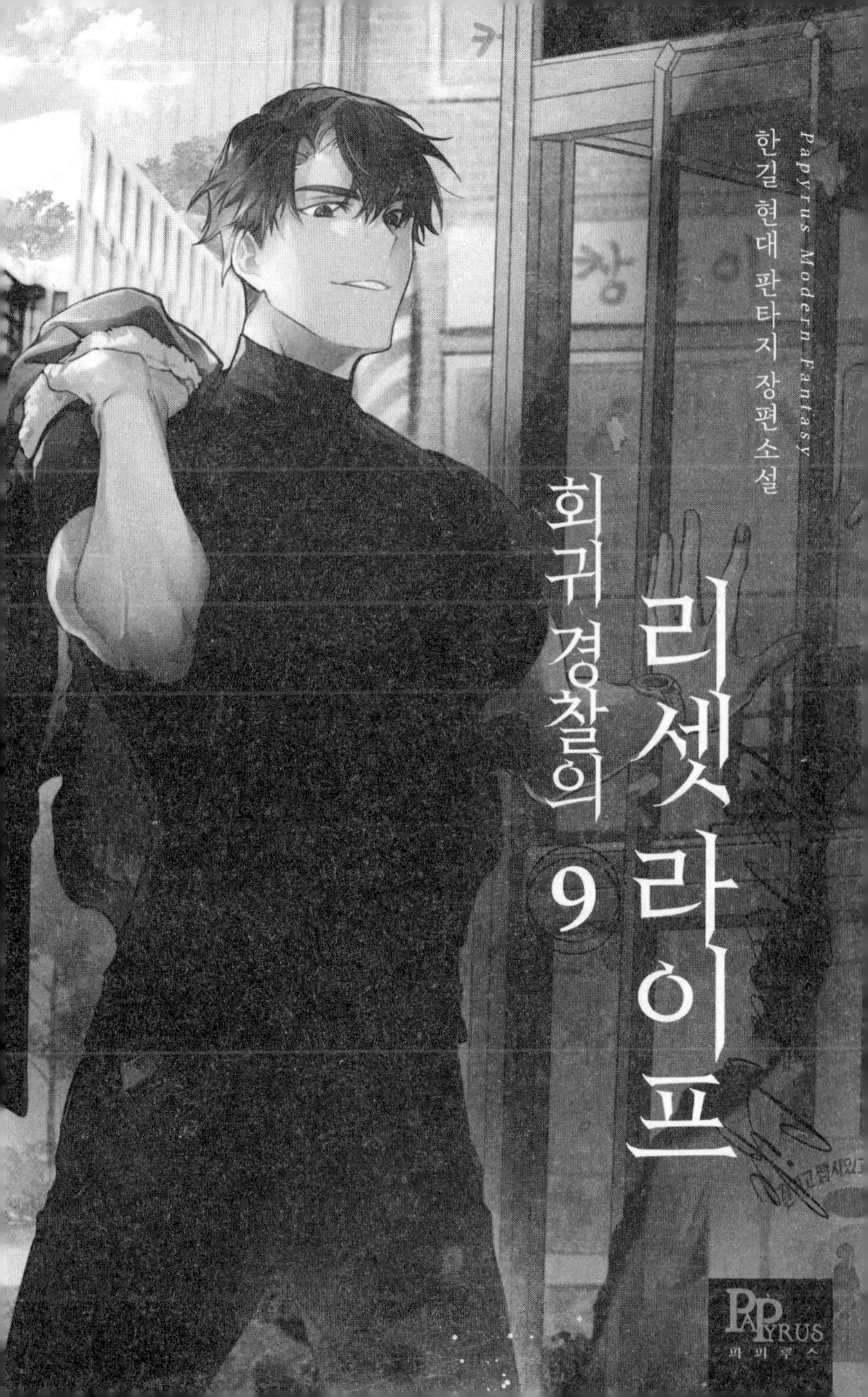
한길 현대 판타지 장편소설
Papyrus Modern Fantasy
회귀경찰의
리셋라이프
9
PAPYRUS
파피루스

1장. 새로이 잡은 꼬리

새로이 잡은 꼬리

겨울이 스쳐 지나간 강원도의 어느 작은 해변 마을.

대문 옆에, 도로가에 눈이 쌓여 있다.

강원도의 겨울은 올해도 일찍 찾아온 것 같았다.

“어흐. 시원하네.”

“올겨울은 좀 따뜻하겠는데요?”

“오곡리나 서성리는 괜찮을까?”

강원도에서도 외진 곳에 위치한 이 마을.

오곡리와 서성리는 거기서도 더 외진 곳에 위치한 마을이다.

한 번 눈이 쌓이면 기본 일주일은 고립되어 버리는 마을.

그런 오곡리와 서성리에 들어가려면 꼭 이 철량리를 거쳐야 하는지라 마을 주민들의 얼굴에 걱정이 시린다.

그들 철량리도 이보다 더 눈이 내리면 고립되는 건 마찬가지임에도 말이다.

"뭔 일 있으면 연락했겠죠."

"그렇겠지?"

순박한 마을 주민들이 일할 준비를 시작한다.

"순덕 할매! 날 추워요! 조심해요!"

"걱정 마라, 이놈들아! 내가 너희 태어나기 전부터 물질을 했던 년이야!"

더 날이 추워지면 물질도 멈춰야 하기에 철량리 할머니들이 바쁘게 움직인다.

오늘도 구수한 욕설에 마을 주민들은 옅게 웃으며 아침 차가운 공기를 데운다.

그렇게 밤사이 적막했던 철량리가 깨어난다.

그런 철량리 마을로 SUV 한 대가 들어선다.

외지인이 거의 찾지 않은 철량리. 당연히 바로 눈에 띈다.

마을 주민들은 철량리 서서히 멈춰 서는 차를 호기심 어린 눈으로 쳐다봤다.

스르륵!

탁! 타악!

"끄으으!"

"끄아!"

기지개를 펴며 내린 종혁과 김종두 과장이 풀썩 웃는다.

차가운 공기가 긴 운전에 지친 심신을 달래기 때문이다.

푸른 하늘, 살랑 불어오는 공기가 가슴 깊은 곳까지 씻어 낸다.

"여긴 벌써 한 겨울이네요."

새하얀 입김이 허공으로 뿜어진다.

"그러게."

김종두의 목소리가 나른하게 풀려 간다.

서울과 비교하면 소음 자체가 없다 할 수 있는 시골 마을. 그냥 보고만 있어도 어깨를 짓누르던 무게가 가벼워지는 것 같다.

하지만 그것도 잠시.

"이 동네라고?"

정확히는 여기가 아니다.

도움을 요청한 사람은 이 마을 외곽에 살고 있다.

이곳 강원도 철량리에서 온 편지는 경찰다운 경찰이라는 종혁에게 도움을 요청한 편지였다.

"이야, 시골이라고 못사는 게 아니네."

김종두는 각 집마다 세워진 차들을 보며 혀를 내둘렀다. 각 집마다 최소 차가 두 대는 주차되어 있는 탓이었다.

"뭐, 요즘 시골이라고 해도 차는 필수니까요."

걸어서 마을을 나가려면 한세월에, 버스는 겨우 하루에 한 번 오는 이곳.

이런 시골이기에 오히려 자동차는 필수였다.
“일단 배부터 채우시죠.”
“그러자.”
종혁은 슬그머니 앞을 지나는 사십대 중년인을 멈춰 세웠다.
“말씀 좀 묻겠습니다. 이 동네에서 식사를 할 수 있는 곳이 있을까요?”
중년인이 눈을 빛냈다.
“서울에서 왔나 봐요? 이런 외진 곳까지 무슨 일로 오셨대?”
“하하. 세월 좀 낚으러 왔습니다.”
“전 여기 과장님께 잡혀 왔습니다.”
“이 자식이?”
“낚시?”
김종두의 말에 중년인의 눈이 가늘어진다.
“채비는 다 갖추셨고?”
종혁은 손을 저었다.
“뭘요. 이 양반이 갑자기 낚시에 꽂히셔 가지고 아무런 준비도 없이 왔잖아요. 이런 깊은 곳까지.”
“야, 죽을래? 싫으면 사표 써.”
“과장님의 영원한 딸랑이가 되겠습니다.”
“흐하핫! 재밌는 분들이네.”
중년인의 얼굴이 활짝 핀다.
“그런 거라면 잘 왔어요. 우리 철량리가 조용히 낚시하기엔 참 좋거든."

철량리에 외지인이 찾아온다면 대부분 이런 이유다.

한 번 오면 제법 이것저것 팔아 주는 낚시꾼들. 환영하지 않을 이유가 없다.

"따라와요. 내가 식당으로 안내해 줄게요."

"아, 아뇨. 그렇게까지 안 해 주셔도……."

"미안하면 이따가 내 가게에서 많이 팔아 주기만 하면 돼요."

"……혹시 하시는 가게가?"

"낚시용품 가게요."

종혁과 김종두는 어이없다는 듯 풀썩 웃었다. 뭐 이런 우연이 있나 싶었다.

둘은 그를 따라 근처의 주택으로 들어갔다.

쿵쿵쿵!

"할매! 할매 살아 있어요?"

—시끄러워, 이놈아! 너 때문에 놀라 죽겠다!

"살아 계시네. 나와 봐요. 손님 왔어요!"

—이 아침부터 뭔 손님이…….

벌컥!

씩씩거리며 문을 열었던 칠십대 할머니는 뚱한 눈으로 종혁과 김종두를 봤고, 종혁은 싱긋 웃었다.

"10인분 가능하실까요? 제가 좀 많이 먹거든요."

"어서 오세요, 손니임—!"

역시 뚱한 얼굴을 웃게 만드는 건 금융치료였다.

* * *

"숙소는 저기 펜션에 잡으면 될 거예요."

안내해 준 값으로 아침 식사도 사 주고, 낚시용품도 한가득 사서 그런지 낚시용품 가게 사장 박씨는 참 친절히 이것저것을 알려 줬다. 그중 하나가 바로 이곳 펜션이다.

이따가 낚시 포인트도 안내해 주기로 했다.

"이야, 이런 곳에도 펜션이 있네."

겨우 2층짜리에 두 개 동밖에 안 되지만, 바다가 보이는 데다 얼마 떨어져 있지도 않아서 제법 잠잘 맛이 날 것 같다.

하지만 김종두의 눈빛이 차갑다.

종혁도 마찬가지다.

바로 이곳에 그들을 부른 이가 있기 때문이다.

"다시 점검하죠. 저흰……."

"서울에서 휴가 내고 온 회사원."

"들키면?"

"형사라는 걸 알면 껄끄러워할까 봐 그랬다."

"오케이. 들어가죠."

둘은 물고 있던 담배를 던지며 안으로 들어갔다.

"계십니까? 계세요-?!"

쿠당탕!

마치 모텔의 그것처럼 꾸며진 프런트 안쪽에서 무언가 떨어지는 소리와 욕설이 들리더니, 배불뚝이 오십대 장년인이 술 냄새를 풍기며 작은 구멍을 통해 고개를 내민다.

그에 종혁과 김종두 과장의 눈이 빛났다가 가라앉는다.

'이놈이 김덕술이구나.'

종혁에게 도움을 요청한 이는 김덕술, 이자의 용의를 주장하고 있었다.

"뭐요?"

"방 좀 빌리려고요. 두 명이요."

"얼마나?"

"열흘이요. 1년 휴가를 모아서 왔거든요."

"70만 원. 카드 안 되고, 현금만."

"아, 아니……."

"싫으면 딴 데 가시고. 그런데 차 타고 40분 거리 안에 내 펜션 말고 없지 아마?"

근데 거기도 비슷할 거란 말에 종혁과 김종두는 이를 악물며 지갑을 꺼냈다.

펜션 주인 김덕술은 심드렁히 101호 키를 내려놨다.

"바다가 잘 보이는 곳인가요?"

"쯧. 별걸 다 따지네."

김덕술은 신경질적으로 203호 키를 던졌다.

"이런 씨!"

"네, 감사합니다. 자, 과장님. 올라가요."

"놔 봐. 아 놔, 진짜! 내가 내 돈 내고, 어?!"

"자, 자. 올라갑시다. 수고하세요."

종혁은 등을 떠밀었고, 그런 둘을 빤히 보던 김덕술은 콧방귀를 뀌며 다시 침대에 누웠다.

그렇게 소란을 일으키며 2층에 올라선 그들은 맞은편 복도에서 한쪽 다리를 끌며 걸어오는 한 청년을 보고 멈춰 섰다.

방을 청소하고 나왔는지 한 손에 쓰레기가 담긴 봉투를 든 20살가량의 청년.

그가 종혁을 알아봤기 때문이다.

"최, 최종혁 형사……."

하지만 종혁과 김종두는 당황하지 않았다.

오히려 눈을 빛냈다.

"너구나? 나한테 편지를 보낸 사람이."

이름 유경조.

편지를 통해 누나를 찾아 달라며 간곡히 애원하던 청년이 바로 그였다.

"네…… 읍?!"

"쉿."

다급히 유경조의 입을 막은 종혁은 검지를 입가에 가져가며 방금 그들이 나온 곳을 가리켰다.

방금 전 자신이 뭔 짓을 할 뻔했는지 알아차린 유경조는 하얗게 질린 얼굴을 끄덕였고, 종혁은 따라오라고 신호를 보냈다.

그렇게 203호의 문을 열고 들어와 닫은 셋은 방 한가운데로 모였다.

유경조는 종혁을 보며 불신 가득한 표정을 지었다. 그는 종혁이 자신의 앞에 있다는 게 믿기지 않았다.

하지만 눈앞의 종혁은 절대 환상이 아니었다.

"저, 정말 왔어……. 정말로……."

이런 시골에 살아도 경찰 본청이 어떤 곳인지 안다.

대한민국에서 가장 악질들만 잡는 곳.

그럼에도 편지를 보낸 이유는 종혁밖에 믿을 사람이 없어서다.

그 누구도 도와주지 않기에, 그 누구도 자신의 말에 귀를 기울여 주지 않기에 유경조는 마지막 희망을 걸어 봤던 것이다.

그런데 그게 통했다.

종혁은 아직도 믿기지 않는다는 듯 꼼지락거리는 유경조의 손등에 손을 올렸다.

"그렇게 절박하게 외쳤는데 당연히 와야지."

"아……."

유경조는 순간 터지려는 눈물을 억지로 참았고, 종혁은 그런 그의 손등을 잡은 손에 힘을 주었다.

"그럼 이제 이야기를 해 줄 수 있겠니? 편지엔 다 담지 못했던 모든 이야기를."

"네. 그게……."

그렇게 경조의 이야기가 시작됐다.

그의 누나 유경순은 이미 한 번 결혼한 전적이 있는 김덕술에게 시집을 가게 됐다.

유경조는 정말 참 많이 반대를 했었음에도 누나 유경순은 결국 김덕술과 혼례를 올려 버렸다.

옛날부터 황소고집이었던 누나.

상황이 그렇게 되어 버리자 유경조는 어쩔 수 없다며 현실을 받아들이기로 했다.

그런데 결혼한 지 고작 2년 만에 누나 유경순이 철량리에서 감쪽같이 사라져 버렸다.

누가 마을을 나가거나 들어오면, 다음 날엔 온 마을 사람들이 그 소식을 알고 있는 철량리.

하지만 놀랍게도 그녀를 보았다는 사람이 단 한 명도 없었다.

그게 벌써 약 1년 전의 일이었다.

"마을 사람들은 김덕술의 지랄 맞은 성격을 못 이겨 도망친 거라고 말했고? 김덕술도 그렇게 말했고?"

유경조는 고개를 끄덕였다.

무슨 일인지 작년 11월 즈음부터 둘은 서로에게 언성을 높이기 시작했다. 그 전까지 죽고 못 살 정도는 아니지만, 그래도 언성 한 번 높이지 않았던 두 사람이 말이다.

누나가 사라지는 그날에도 김덕술과 누나는 아주 크게 싸웠고, 그날 누나는 철량리에서 사라졌다.

정황상 마을 사람들의 의견은 일리가 있었다.

"하지만 누나는 정말 저에게 말없이 사라질 사람이 아니거든요."

너무 어릴 적에 부모님을 여의었기에 두 남매는 죽고 못 살았다. 누나는 학교조차 안 다니며 마을 일을 도와 유경조를 키웠고, 유경조는 그런 누나를 엄마처럼 생각했다.

그러다 유경조가 교통사고를 당하며 다리를 크게 다쳤고, 그때 제대로 치료받지 못해서 다리를 절게 됐다.

그 충격에 유경조는 학교를 관뒀고, 유경순은 자신이 지키지 못했다 한탄했다.

그런 누나이기에 절대 말없이 사라질 리 없다고 여겼다.

그러나 시간이 지날수록 연락 한 통조차 없었기에 유경조는 점점 누나가 자신을 버렸다고 믿기 시작했다.

그동안 너무 힘들었을 테니까 이젠 놓아주기로 생각했다.

"그런데……."

반년 전 보험사에서 전화가 한 통 걸려왔다.

누나 앞으로 거액의 보험이 가입되어 있다는 전화였다. 수령자가 남편인 김덕술로 되어 있는 거액의 보험이.

거기까지는 이해할 수 있었다.

문제는 보험에 가입한 시기였다.

누나가 자취를 감추고 실종 신고가 되기 몇 개월 전부터 갑자기 차례차례 가입된 보험들.

둘의 언성이 높아지기 시작한 이후다.

그제야 심상치 않다는 걸 깨달은 유경조는 여기저기 도움을 요청해 봤지만, 중학교도 제대로 졸업하지 못한 다리병신의 이야기에 귀를 기울여 준 사람은 단 한 명도 없었다.

그러던 그때 TV에서 종혁을 보게 되었고, 이번이 마지막이라며 간절한 마음을 담아 편지를 보냈던 것이다.

'어이구…….'

김종두의 얼굴이 일그러진다.

"그래. 고맙고 수고했다. 그동안 버티느라 정말 고생했어."

"아……."

"그러니 이제부터 우리에게 맡기렴."

결국 유경조의 눈에서 눈물이 터졌다.

*　*　*

겨우 울음을 수습한 유경조가 방을 빠져나갔고, 종혁과 김종두는 서로를 쳐다보며 얼굴을 일그러트렸다.

코앞에 도움을 요청하는 사람이 있기에 경찰로서 애써 잡고 있던 마음이 무너져 내린다.

그때였다.

-야, 이 새끼야! 어디에 있었어! 한참 찾았잖아!

-그, 그게 오늘 오신 손님들이 짐을 좀 정리 해 달라고…….

—……에이, 씨부럴. 따라오기나 해!

"저 개새끼가!"

"참으세요."

종혁은 다급히 김종두를 붙잡았고, 이를 간 그는 한참이 지나서야 엉덩이를 다시 붙였다.

"후우. 그럼 정리해 보자."

둘의 눈은 삽시간에 차가워졌다.

이제부터는 감성이 아니라 이성이 필요하기 때문이었다.

"일단 이 새끼는 배가 불렀어."

"예. 보셨죠?"

입고 있던 셔츠가 구찌였다.

펜션 주차장에 세워져 있던 차는 벤츠.

제아무리 이런 폭리를 취하는 펜션 주인이라지만 이런 시골 사람의 것이라고 생각하기엔 무리가 있다.

"그래. 이 새끼 지금 돈맛을 제대로 본 거야."

지금 김덕술은 갑자기 많은 돈이 생겼을 때 나타나는 전형적인 모습을 보이고 있었다.

"아직 유경순 씨의 사망 보험금을 받은 것도 아닐 텐데 말이죠."

일반적인 실종의 경우, 법원에서는 실종 기간이 5년이 지난 이후에야 실종자가 사망한 것으로 선고한다.

즉, 아직 실종된 지 1년밖에 지나지 않은 유경순의 사망은 인정되지 않으니 사망 보험금을 받는 건 불가능했다.

"대출? 사채?"

"둘 중 하나겠죠. 문제는……."

아직 유경순의 생사 여부가 불확실한 상황에서, 대출이나 사채를 써 가면서까지 사치를 부린다?

이건 유경순의 사망을 확신하지 않고서야 할 수 없는 행동이었다.

보험금이 나오지 않는다면 그 길로 김덕술의 인생은 나락으로 떨어질 테니까.

"하. 아무리 봐도 이 새끼가 죽인 게 분명한 것 같은데……."

종혁도 같은 생각이지만, 결론은 내리지 않았다.

사건이 끝날 때까지 확신을 하지 마라. 그의 철칙이었다.

그러나 김종두는 이미 거의 확신을 하고 있는 상태였다. 그의 촉이 그렇게 외치고 있었으니 말이다.

'그렇다면 시체는 어떻게 처리했을까?'

그게 당면한 과제긴 하다.

일단 시체부터 찾아야 한다.

그런데 주위가 온통 산과 바다다. 시체를 유기할 곳은 넘쳐 난다고 봐야 했다.

"차라리 산이라면 낫겠지만, 바다라면……."

김종두는 신경질적으로 머리를 긁었고, 종혁은 입술을 깨물었다.

"후. 일단 짐부터 풀죠."

그렇게 말했지만, 썩 그럴 마음이 들지 않아 구석에 짐을 대충 던져 버린 종혁은 창문을 활짝 열었다.

그러자 푸른 바다처럼 푸르른 겨울바람이 들어와 둘의 머리를 식힌다. 둘의 어깨가 아주 잠시나마 가벼워지는 순간이었다.

띠리링! 띠리링!

-나와요! 지금이 물때예요!

종혁은 피식 웃었다.

"일단 주변 탐문 조사부터 하는 건 어때요?"

"……그래. 복잡할 땐 그게 최고지."

일단 김덕술이 어떤 부류의 인간인지부터 알아야 했다.

정말 김덕술이 그런 짓을 저지를 만큼 악독하고 치밀한 인간인지 아닌지.

유경조가 많은 걸 말해 줬지만, 그건 그의 시각일 뿐이었다.

둘은 낚시용품 가게에서 산 낚시가방을 들어 올렸다.

* * *

작년에 출시된 검정색 SUV를 타고 온 낚시용품 가게 사장이 알려 준 장소는 포인트가 확실했다.

"으랏챠!"

활처럼 굽은 낚싯대에 달려 맹렬히 돌아가며 낚싯줄을 감아 내던 릴이 곧 팔뚝만 한 물고기를 물 밖으로 끌어

올린다.

"어이쿠. 월척이네! 이 정도면 월척 맞죠, 과장님?"

"뭐, 뭘 그 정도 가지고 월척이야? 피라미지! 방정 떨지 마. 그거 다 초심자의 운이다."

"그러면 어때요? 전 이 정도로도 충분히 만족합니다! 이놈은 회를 뜰까나, 탕을 끓일까나. 아저씨는 뭐가 좋으세요?"

같이 놀자는 종혁의 권유에 옆에 자리를 폈던 낚시용품 가게 사장이 억지로 웃음을 참다가 현명한 말을 꺼낸다.

"추우니까 반은 탕으로 진하게 끓입시다."

"그런 묘수가! 이 추운 날씨에 쫄깃한 회에다가 뜨끈한 국물. 거기다 소주를, 캬!"

"푸하하핫! 젊은 분이 먹을 줄 아시네!"

"시끄러워! 물고기 도망가잖아!"

'그러는 과장님이 제일 시끄럽습니다'라는 말을 꾹 누른 종혁은 능숙하게 회와 매운탕을 끓이기 시작했다.

곧 보글보글 매운탕이 뜨겁고 매콤하게 끓으며 소주가 든 아이스박스로 손을 뻗게 만든다.

"드시고 하세요. 우리가 낚시하다 죽으러 왔어요? 즐기면서 먹으러 왔지?"

"……에잇!"

쿵쾅거리며 다가온 김종두 과장이 잔을 내민다.

"난 또 낚시 가자고 그렇게 조르셔서 잘하시나 했더니……."

그 말에 김종두의 얼굴이 진심으로 구겨진다.

낚시가 취미인 김종두 과장.

오늘 망신을 제대로 당하고 있었다.

"이놈들이 고수를 몰라보는 것뿐이야, 인마! 내가 어?"

"예, 예. 술 받으세요."

"썩을 놈의 시키. 아, 사장님도 받으시죠."

"하하. 상사와 부하 직원이신데 사이가 좋으시네요."

"이놈이 능글맞은 겁니다."

"제가 아니면 놀아 줄 사람이 없는 외로운 분이라서요."

"이거 봐요."

"푸하하하핫!"

그렇게 피어나는 웃음꽃과 함께 술자리가 시작됐다.

한 잔, 두 잔. 겨울의 찬 바닷바람이 불어오는데도 몸에서 열이 나자 종혁이 슬그머니 입을 열었다.

"아, 덕분에 방 잘 얻었습니다. 그런데……."

사장이 씁쓸히 웃는다.

"그 형님이 좀 그렇죠?"

종혁이 눈에 불을 켠다.

"원래 성격이 그러십니까?"

"어제 술을 많이 마셔서 그럴 거예요. 평소엔 그 정도까진 아니에요."

"방값도 많이 비싸던데……."

"여기가 워낙 외지잖아요. 어쩔 수가 없어요. 그 형님도 먹고살아야지.”

“그래도 펜션을 짓을 정도면 돈이 많은 거 아니에요?”

“많죠. 많았죠. 그 형님 집이 여기서 어떤 집안이었는데. 그런데 그거 싹 다 까먹고 그거만 남은…… 어흠.”

눈을 빛낸 종혁은 사장이 입을 다물려고 하자 얼른 술을 따라 줬다.

“꿀꺽. 크.”

“여기 회도 드세요. 그런데 낚시용품이 그렇게 다양한가요? 비싼 것들도 많던데.”

다시 김덕술에 대해 질문하면 의심을 살 수 있기에 종혁은 의도적으로 말을 돌렸다.

그런데…….

“어, 어흠. 외지에서 오는 낚시꾼들이 제, 제법 많아서 그래요.”

‘응?’

김종두도 사장을 본다.

지금 반응은 분명 이상했다.

“그러시구나. 과장님은 아셨어요? 아, 맞아. 알았으니까 여기로 오자고 했구나.”

“그걸 이제 알았냐? 생각 좀 하고 살자.”

“그래요. 드디어 날 혼낼 거리를 찾았네요. 한 잔 드세요. 네, 한 잔 더 드세요.”

“이, 이 자식이?! 날 죽일 셈이야?!”

“시체는 잘 묻어 드리겠습니다. 아니, 바다에 던지면

되려나?"

"그래, 오냐. 오늘 죽자, 그냥!"

김종두는 종혁에게 달려들었고, 사장은 다시 웃기 시작했다.

종혁과 김종두는 그런 그의 반응을 곁눈질로 살폈다.

그렇게 가져온 소주도 모두 떨어져 가고, 해도 지려고 하자 그들은 철수 준비를 했다.

둘은 숙소로 복귀하기 전 방광을 가득 채운 물을 빼기 위해 구석으로 향했다.

그런 둘은 그렇게 마셨는데도 눈동자에 흔들림 하나 없었다.

쏴아아아아아!

"확실히 뭔가 좀 이상하다 싶긴 했어."

"낚시용품 가게요?"

"어. 원래 이런 오지에 오는 낚시꾼들은 출발 전부터 다 갖춰서 오니까 산다고 해도 줄이나 바늘 따위의 채비나 밑밥만 겨우 사거든?"

그런데 이런 시골의 낚시용품 가게에서 볼 거라곤 생각지 못했던 가격대의 물품들이 있었다.

오늘 사장이 썼던 낚싯대만 해도 무려 150만 원짜리.

돈 많은 전문 낚시꾼들이나 겨우 사는 명품이다.

사장은 그런 걸 무려 세 개나 썼다.

"확실히 과유불급, 아니 돼지 목에 진주목걸이네요."

"거기다 가게 물건들에 쌓인 먼지도 얼마 없었어. 가게 여기저기에 먼지가 수북이 쌓여 있었는데도."

물건을 들여놓은 지 얼마 되지 않았다는 소리다.

"이거 아무래도……."

"예. 저 양반도 뭐가 있는 것 같습니다."

이런 시골 마을에 그런 호재가 뭐가 있을까.

순간 두 눈에 살기를 품었던 둘은 이내 지워 내며 지퍼를 올렸다.

그렇게 둘은 2차를 위해 펜션으로 복귀했다.

"덕술 형님!"

"뭐야! 넌 왜 왔어!"

"이 서울분들이 초대해서 왔수다! 됐고, 숯이나 피워 봐요!"

"너도 돈 내면!"

"아니, 너무한 거 아니에요? 그래도 같은 마을……."

"같은 마을이 뭐? 그러니까 더 공짜를 바라면 안 될 텐데?"

"그, 그건…… 에이, 알았어요. 주면 될 거 아니에요!"

종혁과 김종두는 둘의 의미심장한 대화에 다시 한번 눈을 빛냈다.

"흥. 진작에 그럴 것이지! 야, 경조야! 유경조 이 새끼야-!"

"네-! 네, 네-!"

펜션 뒤에서 유경조가 달려 나온다.

"헉헉! 왜, 왜 그러세요?"

"내가 왜 불렀겠냐? 여기 손님들 안 보여?"

눈이 마주치자 종혁은 진지한 얼굴로 고개를 까딱였다. 모두의 시선이 경조에게 쏠려 있는지라 들키지 않았다.

"그, 그게……."

어쩔 줄 몰라 하는 유경조의 모습에 김덕술은 얼굴을 구겼다.

"숯 피우라고, 새끼야!"

"아……!"

김덕술은 검지로 청년의 머리를 밀었다.

"대가리가 멍청하면 눈치라도 빨라야지. 어? 아직도 내가 일일이 설명해 줘야 해? 너도 인간이라면 내가 너 먹이고 재워 주는 값은 해야 되는 거 아니냐?"

"죄, 죄송합니다."

"꼴 보기 싫으니까 어서 피워!"

"네, 넷!"

김덕술은 청년이 다시 펜션 뒤로 달려가자 종혁들을 못마땅하다는 듯 쳐다보고는 펜션 뒤에 있는 본인의 집으로 향했다.

"저런 씨!"

사장이 다급히 김종두를 말린다.

"와, 진짜 성격 안 좋네."

"하하. 참으세요, 참아. 술 마셔서 그래요."

사장은 김종두에게 술병을 기울였고, 종혁은 김덕술이

들어간 집을 바라봤다.

'흠. 저런 성격을 가진 사람은 빨리 고립될 텐데…….'

시골에서 같은 마을에 산다고 다 친한 건 아니다. 저렇게 가시를 세울수록 더 빨리 고립될 뿐이다.

'시골 사람들은 이걸 잘 알아.'

그래서 귀찮아도 손이 남으면 이 집, 저 집 도움을 주거나 편의를 봐주는 거다.

그런데 김덕술은 그러지 않았고, 사장도 김덕술을 썩 좋아하지는 않는 눈치였다.

분명 사장은 펜션에서 2차를 하자고 했을 때 그리 내켜하지도 않았다. 방금 전도 억지로 웃는 듯한 느낌을 받았다.

거기다 둘이 나눈 의미심장한 대화.

뭔가가 이상했다.

종혁은 담배를 들며 일어섰다.

"그럼 전 숯 피우는 거 구경하고 올게요."

"아니, 그런 건 왜 구경해?"

"어이구. 서울분께선 숯불에다 고기 안 구워 먹어 봤나 보네. 자자, 저희는 한잔하시죠."

"어흠. 그럴까요?"

종혁은 김종두에게 고개를 끄덕이곤 펜션 뒤편으로 향했다.

화르르르르!

유경조가 토치를 이용해 숯에 강렬한 불을 쏘고 있다.

담배를 문 종혁은 유경조에게 다가갔다.

“안 더워?”

“아!”

“뭐 좀 묻고 싶은데, 원래 김덕술하고 저기 사장하고 사이가 나빠?”

“세용이 아저씨뿐만 아니라 이 마을에서 매형을 좋아하는 사람은 없어요. 그런데…….”

희한하게도 철량리 마을 사람들은 그런 김덕술에게 약하다.

“원래부터?”

“으음…… 아니요. 그건 아니었어요.”

어렸을 때를 떠올려 보면 마을 사람들 전체가 김덕술을 좋아하진 않았다. 만날 술 먹고 행패 부리고. 좋아하는 사람은 없었다.

김덕술의 부모가 죽고 난 이후에는 사람 취급도 안 했다.

그런데 작년부터 조금씩 바뀌기 시작했다.

“네 누나도 그랬어?”

유경조는 고개를 끄덕였다.

“누나도 엄청 싫어했죠. 만날 치근덕거렸으니까요.”

“그래? 언제부터?”

“제 다리가 이렇게 된 이후부터요? 아마 그쯤부터 그랬을 거예요.”

“뭐?”

그렇다면 벌써 6년 전이다.
6년 전이면 유경순이 고작 19살이었을 때다.
'개새낀가?'
그랬다.
김덕술과 결혼할 당시 유경순의 나이는 고작 22살.
꽃다운 나이의 여자였다.
이번 사건, 이해가 안 되는 점이 너무 많았다.
뭔가 비밀이 있었다.

* * *

낚시용품 가게 사장도 돌아가면서 조용해진 펜션.
"푸후!"
술 냄새가 가득한 숨결이 203호 안에 퍼진다.
"종혁아, 이거 뭔가 이상하다."
용의자와 유경조, 낚시용품 가게 사장만 만났을 뿐이다.
고작 이것뿐인데도 뭔가 뒤틀려 있다는 게 느껴진다.
"난 김덕술 이 새끼가 유경순 씨를 죽였고, 그걸 낚시용품 사장이 목격하고 입막음 조로 돈을 받은 건 아닌지 의심했거든?"
그렇다면 낚시용품 사장의 사치가 이해된다.
종혁은 고개를 끄덕였다. 종혁 본인도 아주 잠시나마 그렇게 생각했으니까.
하지만.

"입막음을 당한 목격자와 범죄자의 사이라 보기 힘들었죠."

"맞아."

제아무리 김덕술이 망나니라도 살인을 목격당했다면 목격자가 갑이다. 그런데 오히려 김덕술이 뻗댔다.

이상했다.

그에 종혁은 유경조와 나눴던 대화를 들려줬다.

어느새 몸을 일으킨 김종두는 미간을 좁히고 있었다.

"뭐야. 그건 더 이상하잖아."

마을 사람들이 김덕술에게 약해지기 시작했을 때와 김덕술이 유경순과 언성을 높이기 시작했을 때의 시간대가 비슷하다.

이걸 과연 우연이라고 할 수 있을까?

물론 우연이라고 치부할 수 있지만, 둘은 절대 그렇지 않다고 생각했다. 둘의 촉이 그렇게 외치고 있었다.

"이거 뭔가 있는데……."

그런데 아무리 생각해도 그걸 모르겠다.

"아, 씁. 골통 깨지겠네."

"그래도 확실한 건 두 개 있잖아요."

하나는 김덕술과 사장의 사이에 어떤 비밀이 있다는 점.

나미지 하나는…….

"김덕술이 개새끼라는 거?"

"그냥 개새끼가 아니라 개호로 잡놈의 새끼죠."

김덕술과 유경순이 결혼했을 당시의 나이는 각자 51

살, 22살.

무려 29살이나 차이가 나지만, 사랑에는 국경도 나이도 없다고 하니 어떻게든 이해할 수 있다.

그러나 유경조의 이야기에 따르면 김덕술은 유경순이 미성년자였을 당시, 그러니까 29살이나 어린 미성년자에게 추파를 던졌다는 게 된다.

그것도 끈질기게.

"하. 이 새끼가 서울에서 이랬으면 미성년자 성추행으로 처넣었을 텐데."

"흐흐. 동감입니다. 내일 해장으로 라면 어떠세요?"

"계란은 네 개 풀어."

"옙! 씻으세요. 전 좀 더 마시다 잘 테니까."

"오냐."

종혁은 김종두가 화장실로 들어가자 벽에 등을 기대며 맥주캔을 입에 가져갔다.

그런 그의 눈빛은 어느새 무심해져 있었다.

'왜일까.'

유경조를 장애인으로 만든 교통사고와 김덕술이 연관되었을지도 모른다고 의심되는 건.

김덕술이 추행을 시작한 때와 유경조가 교통사고를 당했을 때의 시간대가 비슷하다. 그 전까지는 김덕술과 말 한마디 제대로 나누지 않았다는 유경순.

'……에이, 아니겠지.'

정말 그렇다면 김덕술은 구제할 수 없는 쓰레기다.

물론 지금도 재활용을 못하는 쓰레기지만.

다른 맥주캔을 따는 종혁의 눈빛은 방금 전보다 더 깊어져 있었다.

* * *

다음 날, 새벽에 일어나 해장을 하고 난 후 한숨 더 자니 낚시용품 가게 사장이 전화를 해 왔다.

–오늘도 세월을 낚으러 가야죠! 제가 다른 포인트도 소개해 드리겠습니다!

아무래도 어제 거하게 대접받았던 게 마음에 들었던 것 같다.

"어이구, 어쩌죠? 오늘은 근처 산에나 갈 생각인데."

–산이요? 이 겨울에?

"전 낚시보다 등산을 더 좋아하거든요."

종혁은 얼굴을 구기고 있는 김종두를 보며 키득키득 웃었다.

"헉! 헉! 헉!"

길조차 제대로 없는 산, 뜨거운 입김이 가쁘게 쏟아진다.

"조, 종혁 헉! 아! 좀, 좀만 헉! 쉬다 가자!"

"운동 좀 하세요, 과장님. 나이 드셨다고 너무 풀어지신 거 아니에요?"

"시끄 헉, 러! 네가 헉헉, 괴물 헉, 인 거야!"

고개를 저은 종혁은 푸른 하늘을 보며 숨을 깊게 들이마셨다.

"후아-!"

깎아지르는 듯 경사가 미친 땅을 딛고 하늘을 보자니 어제처럼 가슴이 뻥 뚫리는 것 같다.

"씨, 씨부랄. 여기에 없기만 해 봐라."

분명 김덕술과 낚시용품 가게 사장의 사이엔 어떤 비밀이 있다.

그 비밀이 혹여 김덕술이 저질렀을지도 모를 범행과 연관이 되어 있다면? 사장이 목격자가 아니라 공범이라면?

아니 유경순을 죽인 게 사장이고, 김덕술이 그걸 알았다면?

둘이 보이던 모습도 어느 정도 설명할 수 있다.

물론 억측일 수 있다.

하지만 현재 생각할 수 있는 건 이것밖에 없었다.

그래서 이런 가정하에 생각했을 때, 어제 낚시용품 가게 사장의 반응 중 하나를 단서로 생각할 수 있다.

"시체는 잘 묻어 드리겠습니다. 아니, 바다에 던지면 되려나?"

이런 종혁의 말에 낚시용품 가게 사장은 아무런 반응을 보이지 않았다. 정확히 말하자면 '시체'에선 반응을 했는데, '바다'에선 재밌다며 웃기만 했다.

즉, 시체 유기 장소는 바다가 아니란 뜻이다.

그래서 이렇게 길조차 나지 않은 산을 오르는 거다.

'그런데 아무래도 이 산은 아닌 것 같단 말이지.'

그랬다면 필사적으로 막았을 거다.

이 점은 김종두도 알고 있다.

하지만 그럼에도 이렇게 오르고, 또 저런 말은 하는 건 일단 어느 정도까진 올라갔다 내려와야 하기 때문이다.

이쪽의 알리바이를 위해서 말이다.

"아호. 진짜 운동을 해야 되려나."

"저희 집 근처로 이사 오실래요? 아침마다 같이 운동 가게?"

"아니, 매일 아침은 좀 그렇고……."

이사를 하면 정말 매일 아침마다 찾아올 놈이 종혁이다.

"이젠 나이 드셔서 잠도 빨리 깨실 텐데……."

"……그래. 애들이 요새 날 왜 그렇게 무시하나 했더니 네 그 방정맞은 입 때문이었구나?"

"먼저 가겠습니다. 조심히 올라오세요."

"거기 서, 이 시꺄!"

"미끄러워요!"

종혁은 절대 잡히지 않기 위해 비탈진 땅을 박찼다.

* * *

"어이구, 죽겠다. 사람 죽네……."

다리를 두드리며 슈퍼 안으로 들어오는 김종두의 모습에 안쪽 방에 앉아 있던 슈퍼 할머니가 눈을 동그랗게 뜬다. 처음 보는 인물이었기 때문이다.

"아, 덕술이 펜션에 묵으신다는 서울 양반들이에요?"

"이야. 그게 벌써 소문났어요?"

"호호. 원래 이런 시골은 소문이 빨리 돌아요. 뭐 사시게?"

"막걸리 좀 살까 하는데…… 음?"

주위를 둘러보던 종혁은 주류냉장고에 붙어 있는 표를 보고 눈을 빛냈다.

"혹시 여기서 음식도 파시나요?"

그에 할머니가 의미심장한 미소를 짓는다.

"왜요? 옹심이 좀 끓여 줄까요?"

종혁은 피식 웃었다.

"아뇨. 다 주세요."

"……응?"

"여기 있는 메뉴 다."

할머니는 입을 떡 벌렸고, 흐흐 웃은 종혁은 부탁한다고 말하며 돌아섰다.

그런 종혁과 김종두의 눈빛이 차갑게 가라앉아 있었다.

종혁은 슈퍼 앞에 놓인 평상에 눕다시피 골골거리는 김종두에게 막걸리를 따라 내밀었다.

그런 종혁을 죽일 듯 노려보던 김종두는 이내 혀를 차며 잔을 낚아채듯 가져왔다.

꿀꺽 꿀꺽!

"크으으!"

"여기 부침개도 좀 드세요."

"너 이따가 무조건 마사지해. 내일 나 근육통 있으면 너 죽고 나 사는 거야. 알았어?"

"충성."

"……썩을 놈. 술이나 더 따라 봐."

"흐흐."

그런 그들에게 감자옹심이 죽이 담긴 그릇을 든 슈퍼 할머니가 다가온다.

"입에는 좀 맞아요?"

"어이구."

황급히 받은 김종두가 짓궂게 웃는다.

"맛있다 뿐일까요. 아예 여기서 살고 싶습니다."

"호호. 서울 사람들이라서 그런지 넉살이 좋네. 그런데 춥지 않아요? 여기서 마시면 감기 걸릴 텐데."

"잠만 안 들면 되죠. 오히려 저희가 폐를 끼치는 건 아닌지……."

"뭘요. 나야 돈 버니까 좋지. 필요한 거 있으면 말해 줘요?"

"아, 할머니! 부침개 좀 더 만들어 주세요!"

"어이구. 벌써 이걸 다 먹었어? 역시 넝치처럼 먹성도 좋네. 기다려 봐요!"

그렇게 할머니가 안으로 들어가자 종혁과 김종두의 표정은 차갑게 가라앉았다.

"종혁아, 봤냐?"

"네."

"나만 여기도 이상하다 생각되는 건 아니지?"

종혁은 아니라는 듯 고개를 끄덕였다.

낚시용품 가게처럼 진열 상품 전부가 깨끗했다. 마치 새로 들여 놓은 지 얼마 안 된 것처럼.

한 번 물건을 들이면 다 팔고 나서야 겨우 물건을 들일 수 있는 이런 시골의 구멍가게가.

그런데 상품뿐만 아니다.

냉장고나 진열장, 안의 테이블, 하물며 안쪽 방도 도배와 장판, 이불 모두가 바꾼 지 얼마 안 된 것처럼 보였다.

저 슈퍼에서 허름한 건 오직 건물뿐이었다.

이는 분명 이질적이었다.

"예. 마치 큰돈이라도 생긴……."

아니면 죽을 날을 받아 놓은 사람이나 보일 수 있는 모습.

거기까지 생각한 종혁과 김종두는 고개를 번쩍 들며 주변을 둘러봤다.

그러자 그제야 보였다.

이질적인 마을의 풍경이.

슈퍼뿐만이 아니다. 눈에 밟히는 모든 게, 아니 마을

전체가 이질적이었다.

“야, 야. 이거…….”

그때였다.

스르륵.

그들의 앞으로 웬 검은색 중형차 한 대가 선다.

차문을 열고 내린 선한 인상의 사내가 슈퍼 안쪽을 향해 할머님 친근하게 부른다.

그러자…….

“어이구, 왔어요!”

버선발로 뛰어나오는 할머니의 모습.

하지만 그건 놀랍지 않았다. 그보다 더 경악스러운 일이 있었기 때문이다.

‘흡!’

종혁은 그가 왼손에 낀 반지를 보며 눈을 부릅떴다.

* * *

“됐어요, 됐어. 그냥 가져가요.”

“할머니. 매번 이러시면 부담스러워서 여기 못 와요. 그러길 바라세요?”

“끄, 끄응…… 어휴. 알았어요. 암튼 고집이 쇠고집이야.”

“하하. 그럼 수고하세요.”

양손에 과자며 음료수며 한가득 든 채 종혁과 김종두

과장을 힐끔 본 삼십대 중반의 중년인은 다시 차를 타고 멀어졌고, 종혁은 애써 무심함을 가장하며 그런 차를 끝까지 응시했다.

그러다 어색하게 웃으며 할머니를 봤다.

"이 동네 주민이신가 봐요?"

"아니요. 웬걸요. 여기 마을에서 저기 오곡리 가는 길에……."

무심결에 답하던 할머니가 입을 꾹 다문다.

뭔가 이상함을 느낀 김종두는 대답을 재촉했다.

"가는 길에?"

"……큼. 교회를 지으러 온 목사님이세요."

"교회요?"

순간 종혁의 눈이 번뜩였다.

그걸 알아차리지 못한 김종두는 말을 이어 갔다가 아차했다.

"이런 외진 곳에? 아, 아니 그게 아니라……."

"됐어요. 내 곧 구워 줄 테니 그거 먹고 가요."

"아, 아니 할머니!"

"흥!"

할머니는 매정히 몸을 돌려 안으로 사라졌고, 김종두는 난처하다는 듯 머리를 긁던 손을 내렸다.

그의 눈은 어느새 가늘게 떠져 있었다.

"나만 저 반응이 이상하다 느껴지냐?"

"아니요."

절대 그렇지가 않다. 이상할 수밖에 없을 거다.

놈들이니까.

'하. 그래. 이제야 모든 게 맞아떨어지네.'

처음 철량리에 들렀을 때 간 식당의 새벽지와 장판, 낡 시용품 가게에 있던 고가의 물품, 모두 새로 바꾼 지 얼마 안 된 슈퍼.

그리고 각 집마다 서 있던, 바꾼 지 얼마 되지 않은 것 같던 자동차들과 갑자기 바뀌었다는 김덕술을 향한 마을 사람들의 반응들까지 모두.

이 이질적인 느낌으로 가득한 마을의 풍경이 이제야 모두 이해가 된다.

'그래. 여기가 너희의 새로운 먹잇감이구나.'

그리고 그 선두에 김덕술이 있다.

빠드득.

속으로 이를 간 종혁은 두 눈에 푸른 불을 피워 냈다.

'찾았다, 이 개새끼들아.'

* * *

부우웅.

달리는 검은색 중형차 차 안.

"김 권사."

방금 전 할머니와 웃는 낯으로 대화를 나눴던 중년인의 목소리에 섬뜩한 기운이 담긴다.

그에 운전대를 잡은 이십대 후반의 사내가 백미러로 그

를 힐끗 본다.

"예, 부목사님."

"방금 두 놈 봤지?"

"슈퍼 평상에서 술을 마시던 늙고 젊은 두 놈 말입니까?"

"그중 젊은 놈을 어디서 본 것 같은데 말이야."

분명 처음 보는데도 낯이 익다.

"바로 알아보겠습니다."

사내는 얼른 핸드폰을 꺼내 김덕술에게 전화를 걸었다.

"아, 예. 알겠습니다. 예. 쉬세요, 김 집사님."

전화를 끊은 그는 입을 열었다.

"서울에서 낚시를 하러 온 회사원이랍니다."

"이 겨울에 여기까지? 정신이 나간 놈들이군."

"한두 명이 아니잖습니까."

부목사라 불린 이는 고개를 끄덕였다.

아무래도 잠시 착각을 했던 것 같다.

신경을 끈 그는 다시 성경책을 향해 시선을 내렸다.

"그게 읽어집니까?"

"하나님의 말씀은 곱씹고 곱씹어도 새로운 거야. 정말 어떻게 너처럼 신실하지 않은 놈이 이 중요한 일에 합류한 거지?"

"저도 교회 다니니까요. 다만 여자 꼬시러 갈 뿐이죠."

"빌어먹을 인사과 새끼들."

"설마 지금 본사 욕을?"

"닥쳐."

피식 웃은 사내는 이내 낯빛을 굳혔다. 공사가 중간 정도 진행된 거대한 부지가 눈에 들어왔기 때문이다.

족히 만 평은 될 법한 거대한 부지와 그 가운데 우뚝 솟은 커다란 교회 건물.

스르륵!

차를 세우고 내린 둘은 쿵딱쿵딱 공사가 진행되는 모습을 가만히 바라봤고, 그런 그들을 향해 안전모를 쓴 소장이 달려왔다.

"아이고. 또 오셨습니까, 부목사님!"

"하나님과 예수님이 거하실 곳인데 당연히 시간 날 때마다 찾아와야죠. 거기다 전국 각지에서 찾아오실 신도님들을 위한 곳이기도 한데요."

"정말 신실하십니다. 대단하세요."

"모두 예수 그리스도의 은총 덕분이죠. 아멘."

"아멘."

은은히 웃은 부목사는 다시 공사 현장을 둘러봤고, 소장은 딱 파산하기 직전에 찾아온 이 하나님의 은혜에 흐뭇이 웃었다.

눈에 젖은 흙먼지 바람이 그들을 스쳐 지나갔다.

* * *

'아니야. 그냥 먹잇감이 아니었어.'

그렇게 생각하기엔 너무도 큰 공사였다.

'여기가 놈들의 새로운 연수원이었던 거야! 그리고……!'

"조, 종혁아! 이거 봐라. 이거 지금 나만 이상한 거 아니지? 그렇지?"

월요일, 잠시 도시로 나와 PC방을 찾은 김종두 과장은 서울에서 보내 준 철량리 주민들의 입출금 거래 내역을 보곤 정신을 차리지 못했다.

철량리 마을 주민 전부에게 매달 몇 십, 몇 백만 원의 돈이 입금되고 있다.

특히 김덕술은 주민들 중에서 가장 많은 돈을 받는 이의 2배에 가까운 돈을 받고 있다. 마치 넌 특별하다는 듯.

종혁은 이를 아드득 깨물었다.

'다단계 투자 사기!'

그 끔찍한 놈이, 시뮬레이션을 끝낸 그 악마가 철량리 마을 주민들을 잡아삼키고 있었다.

그들이 PC방을 나온 건 해가 거의 저문 뒤였다.

"후우. 일단 정리해 보자."

차에 타 담배를 문 김종두는 관자놀이를 꾹꾹 눌렀다.

"일단 이 종교법인 하느님의 은혜라는 놈들이 철량리 마을 주민들에게 돈을 주고 있어. 헌금 반환이란 명목으로. 왜……?"

정리를 하려고 했지만 처음부터 막힌다.

종교 단체가 신도들의 헌금을 반환한다?

이것부터 말이 안 된다.

"방금 거래 내역 못 보셨어요? 이자를 지불하는 겁니다."

"넌 씨발 천만 원 맡기고 매달 20만 원씩 지불받는다는 게 말이 되냐?!"

매달 20만 원, 일 년이면 240만 원이다.

이자율이 24퍼센트인 거다.

경제 성장이 급상승하던 80년대에나 가능하던 이자율.

"그분들이 정말 하나님의 은혜를 베푸는 호구들이야? 이게 사기가 아니고서 말이 안 되잖…… 사기?"

"예, 사기죠. 사기 맞습니다."

"그래. 이건 사기가……."

말을 하다 입을 다문 김종두가 묘한 눈으로 종혁을 봤다.

"불어."

"일본과 러시아를 흔들었던 사기 수법입니다. 일명 다단계 투자 사기."

"……씨부럴. 이름만 들어도 토악질이 나올 것 같네. 설계도는?"

"이 사기는 이렇게 이자 형식으로 매달 막대한 이자를 지불하는 것에서 시작됩니다."

이걸로 마을 사람들이 김덕술을 다르게 대하기 시작한 이유도 알 수 있었다.

아마 놈들은 김덕술을 내세워 사람들을 모아들인 것일

터였다. 마을 사람들은 김덕술 덕분에 돈을 벌게 됐으니 그를 다르게 대하게 된 것이고.

"그렇게 환심을 얻어서 더 많은 투자금을 끌어낸다?"

"돈을 투자하면 투자할수록, 사람을 끌어들이면 끌어들일수록 이자를 많이 가져가는 구조니까요."

"그래. 이자를 더……? 잠깐, 잠깐만! 그렇게 되면?!"

"예. 그렇기에 결국 있는 돈, 없는 돈뿐만 아니라 지불받던 이자까지 모두 꼬라박게 되는 겁니다."

그렇게 돈이란 악마에 홀려 늪에 잠기는 거다.

"그러다 펑 사라지는 거죠. 모든 돈을 들고."

"그러면 말이 안 되잖아! 이 새끼들은 공사를 하고 있다고! 그 넓은 부지를!"

화륵!

종혁의 눈에 불이 붙었다.

"돈이 아니라 철량리를 삼키려는 게 목적이라면요?"

이곳 강원도에서 종혁이 나탈리아의 도움을 받아 부숴버렸던 한빛 비즈니스 수련원, 아니 회사라 불리는 조직의 연수원.

진입로에만 CCTV를 설치했다가 대처가 늦어져 털렸던 놈들이 똑같은 짓을 반복할 리는 없었다.

'철량리 주민 전체를 CCTV로 만들려는 거야.'

외부에서 그 교회 부지로 진입할 수 있는 진입로는 오직 하나, 철량리를 거치는 것뿐이다.

워낙 외진 곳이라 외지인이 들어오면 무조건 들킬 수밖

에 없는 시골 마을.

이보다 완벽한 감시의 눈은 없을 터였다.

"왜 일을 굳이 그렇게…… 사이비? 사이비!"

김종두 과장의 얼굴이 와락 구겨진다.

"이 새끼들 지금 자기들만의 마을을 만들려는 거지? 그렇지?"

"아마도요."

그렇게 만들 수법은 다양하다. 김종두의 머릿속에서도 벌써 몇 가지가 떠오른다.

사이비가 제일 잘하는 일이 뭐던가.

바로 사람을 세뇌해 열성적인 신도로 만드는 거다.

처음에는 돈 때문에 모여들었던 마을 사람들이지만, 세뇌를 당한 이후에는 오히려 돈을 뱉어 내기 시작할 터였다.

그럼 철량리 전체가 놈들의 손아귀에 들어가는 거다.

"그래, 씨발! 이래야 말이 되지! 와, 씨발!"

신세계다. 김종두는 세상에 이런 사기가 존재하고, 이런 사기를 이런 방식으로 쓸 수 있다는 것에 환멸을 넘어 경탄을 할 수밖에 없었다. 사기도 이 정도면 예술이었다.

"그런데 잠깐만. 그런데 어째서 김덕술을 앞세운 거지?"

김덕술이 아무런 대가도 없이 그들을 도왔을 리는 없다. 그렇다면 모종의 거래가 오간 것은 분명할 터.

중요한 건 어째서 그들이 김덕술을 택했느냐다.

김덕술은 마을 사람들과도 관계가 원만하지 않았으며, 쉽게 통제가 될 만한 성격도 아니었다.

즉, 거래의 대상으로는 결코 적합하지 않다는 것이다.

그러한 김종두의 의문에 종혁은 눈을 질끈 감았다.

"협박을 받았을지도 모르죠."

"협박?"

"……김덕술이 저지른 범행을 놈들이 알게 되었고, 그것으로 협박을 했다면 김덕술은 순순히 따를 수밖에 없었을 겁니다."

상황이 이렇게 된 이상 이런 결론밖에 나오지 않았다.

혹여 정말 도망친 건 아닐까 작은 희망을 품었던 종혁은 입술에서 피가 나도록 깨물었다.

김종두도 주먹을 꽉 쥐었다.

"……그렇다면 이 상황에서 우리가 할 수 있는 일은 하나네."

이 악의 사슬을 끊어 버릴 수 있는 방법은 오직 한 가지뿐이다.

종혁은 무겁게 고개를 끄덕였다.

"예. 유경순 씨를 찾아야합니다. 무조건."

그래서 그녀를 살해한 범인이 김덕술임을 밝혀야 한다.

*　*　*

처음 의심했던 김덕술과 낚시용품 사장 사이에 있던 비밀.

혹여 사장이 김덕술의 범행에 연관이 되어 있을지도 모른다던 의심은, 그 조직의 놈들이 개입되어 있다는 걸 알게 된 순간 힘을 잃었다.

이젠 산과 들, 바다뿐만 아니라 간이 화장터와 가축들에게 줄 사료를 만드는 분쇄기까지 모두 뒤져야 하는 거다.

단둘이서.

아직은 공개 수사로 돌릴 때가 아니었다.

그런데…….

"뭐? 산?"

—예! 김덕술 오촌 당숙모 명의로 된 산이 있습니다! 유산으로 넘겨진 건데…… 세금이 이 새끼 통장에서 나가네요? 이 할머니는 자식도 없고요.

종혁과 김종두는 서로를 쳐다봤다.

"주, 주소는! 주소는!"

—입 아프게 뭘 물어요. 그 근처지.

"주소 날려!"

둘은 다급히 차키를 챙겨 들며 자리를 박차고 일어났다. 그러다 어떤 생각이 떠오른 종혁이 다급하게 김종두를 잡았다.

"잠시만요!"

"왜!"

"우리 이거 흘리죠."

"흘리다니…… 히야, 이 대가리 좋은 놈. 넌 뭐 아이디어가 초 단위로 생겨나냐?"

"칭찬으로 듣겠습니다."

"칭찬이다, 짜샤."

씩 웃은 종혁은 김종두의 손에 203호 키를 맡겼다.

"좀 이따가 내려오세요."

종혁은 차키를 챙겨 들며 아래로 내려가 김덕술을 찾았다.

김덕술은 웬일로 펜션 뒤에 있는 벤치에 앉아 있었다. 아니, 웬일로 밖에서 술을 마시고 있었다.

대체 얼마나 씻지 않은 건지 고약한 냄새가 나는 김덕술. 몸을 명품으로 치장해 봤자 몸이 쓰레기니 쓰레기 냄새밖에 나지 않는다.

"안녕하세요, 사장님."

"뭐요?"

"죄송하지만, 뭐 좀 여쭙고 싶어서요."

"아, 더럽게 귀찮네. 뭔데?"

"혹시 근처에 오를 만한 산이 있을까요?"

움찔!

역시나 예상한 그곳인 것 같다.

대번에 입질이 오고 있었다.

"제가 산을 좋아해서요."

종혁은 최대한 선량하게 웃었다.

그러자.

"산은 무슨 산! 너 미쳤어? 죽고 싶어?!"

왜일까. 죽고 싶어? 이 말이 내가 널 죽일 수도 있다는 협박처럼 들리는 건.

"예? 아, 아니 왜 화를……."

순간 아차 한 김덕술은 이를 악물었다.

"그럼 이 겨울에, 눈조차 녹지 않은 산을 오른다는데 큰소리가 안 나올 수 있겠어? 그러다 죽으면! 어? 그 시체는 누가 치우고!"

"제가 왜 죽습니까! 거 듣자 하니까 말 이상하게 하시네!"

"뭐 이 새끼야?!"

"새끼? 하……! 야, 이 씨발 놈아. 내가 어리다고 만만하게 보이냐? 어?"

종혁은 한 손으로 김덕술의 멱살을 잡아 들어 올렸고, 반항도 못한 채 들어 올려진 김덕술은 깨갱 할 수밖에 없었다.

화를 내기엔 종혁의 얼굴이 너무 흉악하게 구겨져 있었다.

"아, 아니 그러다 다치면 동네에 경찰 오고, 구급차 오고 그러니까……."

"좆까, 씨발 새끼야. 나이 많은 어른이라고 계속 예예 해 줬더니 좆도 아닌 새끼가 지랄을 하네? 아오, 씨발. 이걸 어떻게 씹어 버리지?"

"야! 최 사원-! 너 거기서 뭐해, 이 새끼야! 이 새끼가 먼저 나가더니 시동도 안 켜 놨네?"

"죄송합니다! 지금 가겠습니다! ……너 씨발 앞으로 내 앞에 기웃거리지 마라. 확 창자를 뽑아 버릴 테니까."

던지듯 놓아 버린 종혁은 다급히 김종두에게 뛰어갔고, 바들바들 떨던 김덕술은 입술을 깨물었다.

지금은 종혁이 두려운 게 문제가 아니었다.

"씨발-! 절대 가지 마! 알았어? 난 분명히 경고했어!"

종혁은 돌아보지도 않고 중지를 폈고, 입술을 깨문 김덕술은 다리를 달달 떨었다.

"어쩌지? 정말 저러다가 들키면……."

번뜩!

"그럴 순 없지."

두 눈이 위험하게 빛난 그는 바닥에 널브러진 빈병들을 걷어차며 집 안으로 들어갔다.

그리고 다시 나왔을 때 그의 손엔 위험한 물건이 들려 있었다.

* * *

"여기지?"

"예, 여기 맞습니다."

이 시기 네비게이션도 완벽한 게 아닌 데다, 지도에도 길이 나와 있지 않아 헤매다 보니 시간이 많이 걸렸다.

"뭐 아니면 이 근처 산을 모두…… 맞는 것 같네요. 이 산."

종혁은 저 앞에 세워진 벤츠를 가리켰고, 김종두는 피식 웃었다.

"올라가시죠."

"그러자."

벤츠가 있는 곳까지 걸어가니 올라가는 길이 있었다.

둘은 슬렁슬렁 위로 올라가며 혹여 옆으로 빠지는 길이 있는지를 살폈다.

그렇게 산의 절반쯤 올라갔을 때였다.

꽈아앙!

'흡?!'

"헉!"

둘은 반사적으로 옆 숲을 향해 몸을 날렸다.

"나와! 씨발, 얼른 나와!"

총을 챙겼어야 된다며 와락 얼굴을 구긴 종혁과 김종두는 서로를 보며 수신호를 날렸다.

내가 나가겠다, 아니다 내가 나가겠다 둘은 치열하게 싸웠다.

하지만 그 싸움은 종혁이 먼저 나가면서 종결이 났다.

'저 씨발 놈이!'

"쏘, 쏘지 마세요! 나갑니다!"

"……뭐야, 아까 그 새끼네? 난 또 멧돼지인 줄 알았잖아."

그렇게 말한 김덕술의 입이 주욱 찢어졌다.

"그런데 이 산은 어떻게 왔어?"

"도, 동네에 물어보니까 길이 난 산은 몇 개 없다고 해서……."

"아, 그래? 그렇다 말이지."

뭔가 좀 이상했지만, 술에 취하고 종혁에게 감정이 많

은 김덕술은 그걸 느끼지 못했다.
부글부글 끓는 화에 머리가 뜨거워질 뿐이었다.
철컥!
"뭐, 뭡니까! 왜 이러세요!"
"왜? 아까처럼 지껄여 보지? 뭐? 창자를 뽑아?"
"죄, 죄송합니다. 잘못했습니다."
종혁이 허리를 숙이자 김덕술의 입가에 만족스런 미소가 걸린다.
"그래. 그렇게 숙이니까 얼마나 보기 좋아. 다음부턴 어른이 앞에 있으면 꼭 그러고 다녀. 그리고 여긴 사유지니까 절대 오지 말고. 거기 다른 양반도 나오쇼!"
"……."
"푸흐흐. 거참 서울 양반이라서 그런지 겁이 많네."
한껏 조소를 흘린 김덕술은 몸을 돌려 다시 위로 올라갔고, 그의 모습이 보이지 않을 때가 되어서야 김종두가 걸어 나왔다.
빠아악!
"큽?!"
종혁은 박살 날 것 같은 정강이뼈에 이를 악물었다.
하지만 평소처럼 반항을 하진 못했다. 김종두가 정말 죽일 듯 노려보고 있었기 때문이다.
"넌 좀 이따가 보자."
"……죄송합니다."
"아오. 씨발."

몸을 돌린 둘은 모든 신경을 등 뒤로 돌린 채 산을 내려가기 시작했다. 그런 둘의 표정은 어느새 살벌하게 타오르고 있었다.

"……정말 이 산이 맞네요."

"어, 그래. 딱 봐도, 아니 그냥 여기다."

그렇다면 이제 할 일은 하나다.

"공개 수사로 돌리자."

"옙!"

고개를 돌린 종혁은 입술을 뒤틀었다.

"내일 보자, 씹새끼야."

"넌 오늘 보고, 개새야."

"……."

* * *

이른 아침.

김덕술이 차를 몰며 어딘가로 향한다.

그런 그는 배꼽을 잡으며 웃고 있었다.

"푸흐흐. 병신들."

어제 산에서 돌아와 보니 서울에서 온 회사원들이 도망친 뒤였다. 유경조에게 물으니 짐만 챙겨 도망치듯 사라졌다고 한다.

"총을 맞은 것도 아니고 공포탄 따위에 그렇게 내뺄 줄이야……. 역시 서울 놈들은 허약해 빠졌어."

귀찮게 하던 놈들이 사라져서 속이 다 후련했다.

띠리링! 띠리링!

"여보세요? 아이고. 예, 김 권사님. 예. 마을엔 별일 없죠. 예, 예. 예, 알겠습니다. 들어가십시오."

전화를 끊은 김덕술은 혀를 찼다.

"쯧. 진짜 예수쟁이도 아닌 놈들이……."

그 어떤 종교인이 그런 짓을 권유할까.

"또 내가 경순이 그년 앞으로 보험을 그렇게 들어 놓은 걸 어떻게 아는데?"

유경순과의 만남은 우연에서 시작됐다.

술을 먹고 운전을 하다 사람을 쳤는데, 그게 유경조였던 것.

이로 인해 가해자와 피해자의 가족으로 마주쳤던 것은 아니다. 김덕술은 유경조를 친 뒤 그 자리에서 내뺐으니까.

사고가 있고 며칠 뒤, 일이 있어 읍내에 나갔다가 유경조를 간호하던 유경순을 보게 되었고 김덕술은 그녀에게 한눈에 반했다.

그 가녀리고 곱던 자태.

홀딱 빠져 매달리고 또 매달렸다. 당연히 유경순은 싫다 했지만, 그래도 매달렸다.

동생을 잘 키워 주겠다, 행복하게 해 주겠다 온갖 감언이설을 날렸다.

하지만 유경순은 요지부동이었다.

그렇게 몇 년이 흘렀을까.

어느 순간 유경순은 그의 청혼을 허락을 했다.

당연히 기뻤다.

그런데 살다 보니 알게 됐다.

유경순 이년이 자기 동생을 친 사람이 김덕술 본인임을 알아차렸고, 그 복수를 위해 결혼했다는 걸.

“개 같은 년. 감히 내 재산을 노리고 접근해? 내가 주정뱅이니까 곧 뒈질 줄 알았나 보지?”

그래서 역으로 치워 버리려 했던 거다.

그냥 치워 버리기엔 억울하니 아는 지인에게 부탁해 거액의 보험도 차례로 들었다.

그런데 그마저도 유경순에게 들키고 말았다.

그 때문에 언성을 높이다 결국…….

“빌어먹을.”

그날의 일이 떠오른 김덕술은 입을 다물었다. 이때부터 이 가짜 종교인들과 얽히게 됐기 때문이다.

자신이 유경순을 죽인 걸 어떻게 알았는지 그걸 빌미로 회유를 해 온 놈들.

협박이 아니라 회유였다.

평생 돈 펑펑 쓰게 해 줄 테니까 자신들이 하라는 대로만 하라고 했다. 당연히 처음에는 믿지 않았지만, 통장에 돈이 찍힌 순간 믿을 수밖에 없었다.

여기에 유경순 앞으로 들어 둔 막대한 보험금도 눈에 밟힌 김덕술은 결국 놈들이 만든 독을 마을에 풀기로 했다.

“그래, 씨발. 돈이 있는데 뭐가 대수야?”

그보단 어제 일이 떠오른다.

어젠 술에 취해 무심코 넘겼는데 걸리는 점이 있다.

"많고 많은 산 중에 하필이면 내 산에 왔다고?"

정말 우연이라고 해도 거슬린다.

아주 거슬린다.

"안 되겠어. 아무래도 옮겨야겠어."

안 그래도 펜션 근처 산에 매장했다가 놈들이 얽히면서 오촌 당숙모 산으로 옮겼는데, 이번엔 그냥 다 빻아서 바다에 버려야 할 것 같다.

그래야 발 뻗고 잘 것 같다.

"아, 다 왔군."

카르르르륵!

차를 세운 그는 곧바로 산을 오르기 시작했다.

그렇게 덜렁 남겨진 차는 침묵 속에서 싸늘하게 식어갔다.

그때였다.

부스럭!

근처 수풀이 들썩이더니 수풀 괴물이 일어선다.

"아오, 씨발. 추워서 뒈지는 줄 알았네."

종혁은 고개를 끄덕였다.

온몸을 핫팩으로 도배하지 않았다면 동사를 할 뻔했다.

김종두 과장은 길리 슈트의 뚜껑을 젖히며 담배를 무는 종혁을 보며 눈을 가늘게 떴다.

"종혁아."

"왜요?"

"대체 이런 건 어디서 구해 온 거냐?"

둘은 어젯밤 이곳에서 날을 샜다.

일단은 혹여 김덕술이 시신을 옮길까 봐 종혁을 근처에 숨겨 두고 그 혼자 얼른 펜션에 다녀왔다. 그리고 그때부터 이 근처에서 대기를 했다.

그러다 해가 저물 때쯤 종혁은 어디 다녀올 때가 있다고 사라지더니 이걸 들고 나타났다.

"요새 이런 서바이벌 물품 파는 데 많아요."

"서바…… 뭐?"

"군대놀이요. 숲속에서 특수부대처럼 비비탄총으로 빵야빵야 하는 거요."

"아니잖아, 짜샤. 서울에서도 구하기 힘든 걸 근처 작은 도시에서 사 왔다고? 나보고 그 말을 믿으라고?"

길리슈트뿐만이 아니다. 전투식량에 분장크림 등 온갖 것들 다 가져왔다.

입을 다문 종혁은 이내 흐흐 웃었다.

"과장님, 남자의 비밀은 지켜 줘야 하는 법입니다."

"……진짜 죽일까?"

"흐흐. 아, 오네요."

저 멀리서 차들이 줄지어 달려온다.

센스 있게 사이렌을 켜지 않은 채 조용히 접근하는 차량들.

드르륵! 탁! 타악!

“어으으! 오느라 허리 뽀사지는 줄 알았…… 어우, 씨발. 꼴이 그게 뭡니까?”

차에서 내린 다른 형사들도 수군거린다.

“몰라, 씨발.”

죽일 듯 노려보는 김종두의 시선을 피한 종혁은 길리슈트를 완전히 벗으며 그 안에 붙여 놓은 권총과 홀더를 꺼내 몸에 착용했다.

“얼굴 진짜 흉하네. 이걸로라도 닦아요.”

김종두는 박대철이 내민 물티슈를 바라보다 고개를 저었다.

“일단 이 새끼부터 잡고 보자. 이놈 엽총을 가졌으니까 다들 총부터 꺼내고.”

다가가가각!

종혁도 권총을 꺼내 땅으로 향하게 했다.

“다 꺼냈지?”

“예.”

“그럼 올라가자. 총구 이쪽으로 향하면 그냥 발포해.”

“옙!”

씩 웃은 종혁은 김종두 과장의 뒤를 쫓아 산을 올라갔다.

사주 경계를 하며 얼마나 올라갔을까.

터벅!

종혁은 귓속을 파고드는 어긋난 소리에 재빨리 손을 들었다.

그 순간이었다.

터벅! 터벅!

"어?"

"어?"

뭘 담았는지 먼지와 흙이 가득한 까맣고 큰 봉지를 쥔 김덕술과 형사들이 서로를 발견하고 잠시 굳어 버렸다.

하지만 그것도 잠시였다.

파파파파팍!

형사들은 아래로 향하게 했던 권총을 들어 올렸고.

"손 들어! 움직이면 쏜다!"

"이런 씨!"

하얗게 질린 김덕술은 그대로 몸을 돌려 위로 달음박질 치려고 했고.

타아아아앙!

종혁은 곧바로 하늘을 향해 총을 발사했다.

"흐이익?!"

놀라 자빠지다 못해 넘어져 바닥을 구르는 김덕술.

종혁은 그런 그에게 권총을 겨눈 채 다가가 엽총을 걷어찼다.

그리고.

"야."

"예, 예?"

"대가리 박아, 이 개새끼야. 안 그러면 대가리에 구멍을 뚫어 버릴 라니까."

종혁은 어제의 복수를 완벽하게 해냈다.

*　*　*

누나를 찾았단 소리에 신발이 벗겨지는 것도 모른 채 달려왔던 유경조는 새하얀 백골이 보자 무너지고 말았다.

뼈만 남았지만 알 수 있다.

누나다.

언제나 예쁘고 슈퍼우먼이었던 누나였다.

목에 걸린 목걸이가 그렇게 말해 주고 있었다.

한 푼, 두 푼 용돈 모아 오일장에서 사서 누나 생일 선물로 선물한 싸구려 목걸이.

"아윽! 아으윽!"

왜 이러고 있어, 이제 돌아가자 조를 수도 없는 누나의 모습.

경조는 울음조차 나오지 않는 가슴을 치며 오열하고 또 오열했다.

'에라이, 씨발.'

'진짜 지랄 맞다.'

눈시울이 붉어진 형사들은 하늘을 보며 담배만 뻑뻑 피웠다.

-칙! 찾았습니다! 여긴 것 같습니다!

"거기 어디야!"

종혁은 부산해지는 형사들을 뒤로하며 한쪽에 구겨져 있는 김덕술에게 다가가 그의 멱살을 잡아 일으켰다.

"케엑! 놔, 놔-! 나, 난 오랜만에 왔는데 저딴 게 있으니까 치우려고 했을 뿐이라고!"

"아가리 다물어."

종혁의 눈빛에 번들거리는 지독한 살의를 느낀 김덕술은 입을 다물었다.

종혁은 김덕술의 멱살을 질질 끌며 피해자 유경순이 유기되어 있었던 곳으로 향했다.

협조 요청을 받아 이곳에 온 인근 도시 경찰서의 경찰과 의경들.

그들은 누구라도 걸리면 찢어 버릴 듯한 종혁의 살기에 분분히 비켜섰다.

이윽고 유기 장소에 도착한 종혁은 경사면에 묻혀 있는 더러운 이불과 그 위에 깔린 더러운 파란 방수포를 보며 이를 악물었다.

이놈은 유경순 씨의 시신을 방수포와 이불에 싸서 묻어 버린 것이다.

"오랜만에 이 산에 왔는데 유경순 씨가 있었다고 했지?"

"그, 그래! 맞아! 아니, 저게 경순이인 줄 어떻게 알아!"

"야, 이 씨발 새끼야."

"……."

"넌 정말 하늘에 대고 빌어야 해. 만약 저기서 나온 네 DNA와 유경순 씨의 DNA를 연도 측정을 했는데 똑같다고 나오잖아? 저 살해 흉기로 보이는 것에서 네 DNA나 지문이 나오잖아?"

종혁은 그의 멱살을 끌고 와 이를 드러냈다.

"내가 내 모든 힘을 써서라도 넌 꼭 사형 받게 만든다."

다리에 힘이 풀리는 김덕술을 옆으로 던진 종혁은 김덕술이 비탈길을 구르건 말건 신경도 쓰지 않은 채 그동안 눈과 비를 맞으며 애타게 누군가를 기다렸을 유경순의 넋이 있을 자리를 향해 고개를 숙였다.

"늦어서 죄송합니다."

"……."

혹여 종혁이 사고를 칠까 따라왔던 형사들도 고개를 숙였다.

그렇게 숙연함이 그들을 감쌌다.

* * *

시신이 묻힌 곳을 수색하기 위해 왔던 의전경들이 모두 돌아가며 남겨진 특수범죄수사과 형사들.

유경순의 유해를 망연히 바라보는 유경조의 등을 두드리던 종혁이 그들에게 다가갔다.

종혁의 손짓을 본 김종두 과장이 뒷목을 주무르며 걸어왔다. 둘은 형사들에게서 잠시 떨어져 담배를 물었다.

"왜 애들한테 말하지 말라는 거냐?"

"다단계 투자 사기요?"

"그래."

김종두의 얼굴이 차갑게 굳어 있다 종혁의 말은 특수범

죄수사과 형사들을 믿지 못한다는 뜻이었으니까.

"말해서 다 달려들게 만들면요? 이 새끼들을 뭘로 엮을 건데요?"

놈들은 현금 반환이라는 명목상으로 이자를 지불하고 있다. 돈을 갈취하는 게 아니라 돈을 주는 거다.

이래서는 사기를 입증하기가 힘들다.

일이 터지지 않는 이상 철량리 주민들에게 이놈들은 하느님이 내려 준 천사였다.

"더군다나 아직 김덕술과 이놈들의 관계에 대한 입증조차 안 된 상황이잖아요."

입증이 뭔가.

김덕술은 유경순을 살해한 것조차도 부정하고 있다.

빼도 박도 못할 증거를 그 입안에 쑤셔 넣어야 진실을 말할 놈이다.

종혁과 김종두야 김덕술과 이놈들의 관계에 대해 거의 확신을 하고 있지만 다른 형사들은 아니다.

철량리 마을 주민들의 입출금 내역을 확인시키게 했기에 어느 정도 의심은 하고 있을 테지만, 아직 진실을 알 단계는 아니었다.

어차피 김덕술과 놈들의 관계를 입증한다고 한들 죄를 덮어쓸 사람을 내밀고 꼬리를 자르고 말 이놈들을 완전히 끌어내기 위해선 이 거지 같은 상황을 참고 또 참아야 했다.

"이제부터 장기전입니다. 각오 단단히 하세요."

"하……! 이게 베테랑 앞에서. 너나 잘해, 인마."
"과장님! 안 가십니까?!"
"그래. 간다, 가!"
그들은 김덕술을 데리고 서울로 복귀했다.

* * *

경기도 모처의 어느 허름한 교회 안.
"뭣?!"
한 통의 전화를 받은 부목사가 벌떡 일어난다.
"김 집사, 아니 김덕술 그 병신이 잡혔다고? 어떻게?!"
설명을 들은 부목사는 이를 뿌득뿌득 갈았다.
"이 병신 새끼! 하필 숨겨도!"
친인척의 산에 숨길 게 뭔가.
그것도 자기가 세금을 내는 산에.
'차라리 화장을 해서 바다에 뿌렸다면 문제가 안 됐을 텐데!'
김덕술의 통장 거래 내역을 살펴보면 금방 무언가 이상함을 느끼겠지만, 그 과정에서 무언가 드러나지 않도록 충분히 손은 써 두었다.
다만 김덕술이 이 교회에 대해 입을 열어, 이곳에 대한 조사가 시작된다면 골치가 아플 수밖에 없었다.
일단 김덕술의 입부터 닫게 만들어야 했다.
"알았어! 일단 끊어!"

전화를 끊은 그는 다급히 교회 목사실로 달렸다.
"목사님, 죄송합니다. 들어가겠습니다!"
"……무슨 일입니까, 부목사?"
정장을 입은 오십대 장년인이 눈살을 찌푸린다.
안경을 껴서 더 선한 인상의 장년인 목사.
부목사는 바로 상황을 설명했고, 목사는 눈살을 찌푸렸다.
"일을 대체 어떻게 하는 겁니까!"
"죄송합니다!"
"이……!"
화를 내려던 목사는 입을 다물었다.
지금 중요한 건 김덕술의 입을 한시라도 빨리 막는 거였다.
그의 눈빛이 차갑게 물들었다.
"어디서 데려갔다고 합니까?"
"본청의 특수범죄수사과입니…… 맞아, 그놈이었어!"
어디서 봤나 싶더니만 만원의 행복에서 나왔던 그 젊은 형사였다. 부목사는 의아해하는 목사에게 얼른 설명을 했다.
"……김덕술의 처남이 불렀을 확률이 크군요."
"아마도 그럴 겁니다."
회사와 연결이 되어 있는 경찰로 하여금 유경조의 말을 무시하게 했더니 놈이 호랑이를 불러 버렸다.
"끙. 하필이면……."
본청. 최기룡이 청장으로 있기에 그들 조직이 힘을 발

휘할 수 없는 곳이다.

더욱이 특수범죄수사과는 광수대, 마약대와 더불어 최기룡 청장의 파벌인 곳.

"일단 변호사부터 붙여서 시간을 끌어요."

"김덕술을 살리려는 겁니까?"

"그럼? 그놈이 실토하는 순간 프로젝트가 날아가는 겁니다!"

쏠쏠하게 들어오는 이자에 푹 빠져 교회에 모여들기 시작한 철량리 주민들.

돈맛에 푹 빠진 이들이 이윽고 사채까지 끌어다 돈을 털어 넣기 시작하면, 이것을 싹 쓸어 가는 게 다단계 투자 사기였다.

그러나 이번에는 여기에 한 가지 계획을 더했다.

"이제야 개돼지들이 넘어오기 시작했는데……."

사라진 한빛 비즈니스 수련원을 대신하기 위하여 만든 교회.

이번에는 같은 문제를 되풀이하지 않기 위해, 마을 주민들을 교화시키기 위해 얼마나 많은 공을 들였던가?

마을 주민들이 다달이 주는 이자마저 마다할 정도로 종교에 심취하게 되면, 돈이 알아서 굴러 들어올 뿐만 아니라 누가 접근해도 바로 알 수 있는 감시 체계가 갖춰지게 된다.

그런데 이 모든 게 김덕술이 잡힘으로 인해서 일이 꼬이기 시작했다.

"압니다. 그래도 다시 생각해 보는 게 어떻겠습니까?

자칫 회사의 존재가 들통날 수도 있습니다."

"빌어먹을."

맞는 말이다.

김덕술의 혐의가 너무나도 명확한 이상, 섣불리 김덕술을 빼내려고 시도했다가는 오히려 꼬리가 밟힐 수도 있었다.

"……알았어요. 좀 더 생각해 볼 테니까 나가 봐요."

"철수 준비를 할까요?"

"일단 그렇게 하세요."

뭔가 상황이 이상하다 싶으면 언제든 철수할 준비를 해라.

회사의 행동 강령이다.

부목사가 고개를 숙이며 나가자 목사는 핸드폰을 들었다.

"예. 나 교회 프로젝트 때문에 출장 나온 방 목사입니다."

원래 웬만한 일이 아니고선 본사에 연락하는 게 금지되어 있지만 상황이 상황인지라 어쩔 수가 없다.

목사는 상황을 설명했다.

-알겠습니다. 곧 연락드리겠습니다.

"예."

전화를 끊은 그는 입술을 깨물었다.

그렇게 얼마의 시간이 지났을까.

본사에서 다시 연락이 왔다.

-철수하세요. 설치한 함정까지 모두.

혹여 어떤 변수가 있어 형사 따위가 찾아와 끈질기게 굴면 세상에서 지워 버리기 위해 만든 함정.

—절대 그 어떤 흔적도 남기지 마십시오.

“괜찮겠습니까? 손해가 막심합니다.”

—……유의미한 데이터를 얻었으니 완전히 실패했다고 볼 수 없다는 게 본사의 판단입니다.

“유의미한 데이터? 아, 혹시 사이비 교…….”

—그 이상의 발언을 금지하겠습니다. 함부로 본사의 일을 넘겨짚었던 분들이 지금 어떻게 됐는지 잘 아실 텐데요?

“…….”

—그리고 이번 일은 유경조가 최종혁 경위에게 편지를 보낸 것에서부터 시작됐다니 괜한 접촉은 삼가시길 바랍니다. 끊겠습니다.

“역시 유경조 그놈이었나. 역시 무리해서라도 그놈을…….”

뚝!

전화가 끊긴 핸드폰을 응시하던 목사는 혀를 찼다.

“나도 본사 소속이지만, 이놈들은 영 정이 안 든단 말이지.”

뭔 생각인지도 모르겠다.

고개를 저은 그는 몸을 일으켰다.

“빌어먹을. 한 놈 때문에 손해를 얼마나 본 거야?”

한빛 비즈니스 수련원 사건 이후 계속 실패하는 것 같은 느낌.

한숨을 내쉰 그는 목사실을 빠져나갔다.

2장. 2005년

2005년

술을 주욱 들이켠 김종두 과장이 입을 뻐끔거린다.

너무 답답해서 아직 근무 시간임에도 술을 마셨는데, 말이 잘 나오지 않는다.

"와! 와아아!"

콰앙!

테이블을 내려 친 김종두는 이를 갈았다.

"이 새끼들은 대체 뭐하는 새끼들이지?"

놈들이 감쪽같이 사라져 버렸다.

부지 공사는 중단됐고, 하나님의 은혜라는 종교 법인도 폐업했다. 이에 놈들의 법인 주소로 찾아가 보았지만 거긴 그냥 어린이집이었다.

게다가 철량리 마을 주민들이 헌금한 돈도 전부 돌려줬다.

여기까지가 김덕술이 검거되고 단 하루도 안 되어 일어난 일이었다. 이제 막 놈들의 뒤를 쫓으려고 했던 이들로선 미치고 팔딱 뛸 노릇이었다.

종혁은 씁쓸하게 웃었다.

'김덕술을 구하려 들 줄 알았는데…….'

돈에 광적으로 집착하는 그 조직. 그래서 꼬라박은 돈이 많기에 혹여 그러지 않을까 싶었는데 아니었다.

'너무 단호한데…… 나 때문인가?'

이 치밀하고도 단호한 철수와 한빛 비즈니스 연수원 사태가 연관된 것 같은 건 아마 억측이 아닐 거다.

놈들은 더 조심스러워 진 거다.

안 그래도 조심스럽고도 치밀한 놈들이.

"골치 아프네."

"그러게. 이놈들을 어디서부터 찾아야지?"

"일단 그쪽부터 뒤져 봐야죠."

"강원경찰청?"

"정확히는 경조의 말을 무시했던 유경순 씨 실종 사건의 담당 형사요."

수사를 제대로 하지 않았다는 것부터 이 형사는 용의선상에 오른 거다.

"감찰을 움직여야겠네. 그렇게 해서 뭘 알 수 있으면 다행이겠지만……."

이렇게 일 처리를 깔끔하게 한 놈들이 단서를 남겼을까.

"작은 희망이라도 걸어 봐야죠."

"부목사나 김 권사라는 놈들 말고 다른 몽타주를 딸 수는 있을지."

종혁이 다시 따라 준 술을 주욱 들이켠 김종두는 몸을 일으켰다.

"어디 가시게요?"

"김덕술 이 새끼 면상 구기러."

"아하?"

아마도 놈들이 구해 줄 걸 믿고 있을 김덕술.

놈들만 쏙 빠져나갔다는 걸 알면 얼굴이 구겨지지 않고는 배길 수 없을 거다.

"아, 그런데 이 경우에 그 부지는 어떻게 되는 걸까?"

"글쎄요. 아마 그대로 남겨지겠죠."

아마 김덕술이 증언을 한다고 해도 수사를 진행할 수는 없을 거다.

결과적으로 아무런 피해자도 나오지 않았고, 김덕술의 증언에는 아무런 증거도 없으니까.

"그럼 그 부지는 결국 공사가 중단된 그 상태 그대로 남게 된다는 거네."

시간이 지나면 굉장히 흉물스러워질 거다.

"자업자득이라고 봐야겠죠."

마을 주민 중 누구 한 명이라도 유경조의 말에 귀를 기울여 줬다면 놈들이 그런 걸 세울 수 있었을까.

아마 어그러졌을 확률이 크다.

결국 돈의 유혹에 넘어간 마을 주민들의 자업자득이라

고 봐야 했다.
"아무튼 저도 얼른 먹고 갈 테니까 먼저 재미 보시면 안 됩니다."
"걱정 마라. 나 그렇게 의리 없는 놈 아니다."
김종두가 먼저 식당을 떠나자 종혁은 숟가락을 내려놓으며 몸을 일으켰다. 그리고 차에 들어가 특수한 핸드폰을 꺼내 나탈리아에게 전화를 걸었다.
"저예요. 어떻게 됐어요?"
종혁의 표정이 차갑게 가라앉았다.
종혁은 부목사라는 놈을 발견한 즉시 나탈리아에게 연락했었다.

* * *

이틀 뒤, 놈들의 거짓 아지트 주소인 어린이집 근처.
"……."
며칠 전 크게 화재가 나서 전소가 된 화재 현장, 교회가 있던 자리에 선 종혁은 담배를 물었다.
이곳이다.
놈들을 추적한 나탈리아가 말한 곳이자, 김 권사란 놈의 마지막 발신자 위치가.
'웃긴 새끼들.'
교회를 세운다고 진짜 기독교인으로 변장을 했다.
폐허를 응시하던 종혁은 이 동네 주민에게 사진을 보여

줬다.

"이분들이 여기에 계셨다는 게 맞다는 거죠?"

"네, 그럼요! 어휴, 진짜 어쩐데?!"

"아프리카로 선교 활동을 하러 가셨고요? 교회 직원들까지 모두?"

마을 주민은 격하게 고개를 끄덕였다.

그래서 불이 났는데도 연락이 안 된다며 발을 동동 구르는 주민을 일견한 종혁은 소방공무원을 봤다.

"화재의 원인은 나왔습니까?"

"일단 합선에 의한 화재로 보이는데…… 발화점이 여러 곳이라서 좀 의심스럽기는 합니다."

종혁의 눈이 가늘어졌다.

"협조 감사합니다. 더 나오는 게 있으면 이곳으로 연락 좀 부탁드리겠습니다."

"수고하십시오. 충성."

"충성."

소방공무원뿐만 아니라 동네 주민도 자리를 뜨자 종혁은 김종두 과장에게 전화를 걸었다.

"예, 과장님. 김덕술이 말한 김 권사란 놈의 마지막 발신자 위치에 왔는데, 여기가 확실한 것 같습니다."

-뭣?! 그걸 어떻게 확신하는데?

현재 기술력으로는 핀 포인트 탐색이 아니라 반경 몇 십 미터 안 정도로 어림잡아 탐색되는 게 고작인 위치 추적.

"반경 내에 수상한 곳이 여기뿐이고, 주변 탐문 결과

화재가 났던 시각이 김덕술이 검거되고 3시간 이후 라서요. 이놈들 알아본 주민도 많고요.”

―……그럼 거기 맞네. 뭐 좀 구할 수는 있겠냐?

“머리카락 한 올이라도 구하면 다행일 것 같은데요?”

그래도 목사 등 이 교회에서 일했다는 이들의 몽타주 몇 개는 구할 수 있었다.

―오! 그건 다행이네!

‘글쎄요. 아닐걸요?’

김 대리를 통해 알게 됐다.

프로젝트가 끝나거나 어그러지면 그 프로젝트를 진행한 사람들은 모두 새로운 얼굴과 신분으로 재탄생된다는 걸 말이다.

아마 지금쯤 놈들은 아프리카가 아니라 조직의 손길이 닿은 성형외과의 수술대 위에 누워 있을 것이다.

―알았어! 곧 과수대 출발시킬 테니까 넌 복귀해!

“예. 충성.”

전화를 끊은 종혁은 담배 연기를 내뿜으며 폐허를 가만히 응시하다 차로 향했다.

‘4768, 3348…….’

혹시라도 감시자가 있을까 근처에 세워진 모든 차량과 사람들의 얼굴을 외우며.

차에 오른 종혁은 방금 외운 것들을 모두 기록한 후 다시 핸드폰을 꺼내 들었다.

“놈들은요? 여기서는 아프리카로 튄다고 말해 놨던데요.”

차량 번호판이 들통나고, 그 부지에서 머문 시간이 제법 된 순간 놈들은 나탈리아의 손아귀 안에 들어갔다고 봐야 한다.

전화기 너머 나탈리아가 피식 웃었다.

—아프리카는 모르겠고, 중국으로 향했어요.

"중국…… 괜찮겠어요?"

모든 사회적 시스템이 정부에 의해 통제되는 나라, 중국. 러시아와 각을 세우는 중국이기에 살짝 걱정이 든다.

—최. 나예요.

"이런, 미안합니다."

—다신 그런 말 하지 마요. 방금 속상할 뻔했어요.

종혁은 나탈리아를 달래기 위해 진땀을 빼야 했다.

그러다 겨우 진정시킨 그는 차 시트를 뒤로 젖히며 한숨을 내뱉었다.

"그나저나 이놈들이 이렇게 깔끔하게 포기할 줄은 몰랐네요."

놈들의 뒤를 바짝 쫓고 있긴 했지만, 놈들이 이 새로운 연수원을 완공했을 때 엮일 다른 조직원들을 생각하면 아쉬울 수밖에 없다.

—저 역시…… 음? 뭐라고? 알았어. 바꿔 봐. 최, 김 대리가 할 말이 있다네요.

"그래요?"

종혁의 눈이 빛났다.

김 대리. 한때는 이 조직의 조직원이었지만, 지금은 적극 협력하는 정보원이다.

현재는 그 부목사란 존재가 나타난 후 복역 중인 러시아 교도소에서 외출을 허가받은 상태다.

곧 김 대리가 전화를 넘겨받았다.

—어떻게 됐습니까?

종혁은 상황을 설명했는데, 돌아온 답이 꽤 의미심장했다.

—흠. 역시 그러기로 한 건가…….

종혁은 눈을 빛냈다.

"아는 게 있다면 얼른 털어놓는 게 좋을 거야."

—그 전에 하나 묻겠습니다. 혹시 당신은 유명한 경찰입니까?

종혁은 아직 자신이 경찰이란 걸 밝히지 않은 상태다.

아니, 김 대리는 아직도 종혁과 아이반이 같은 인물이란 걸 모르는 상태다. 이번 일도 러시아 정보국과 연관이 있는 한국의 경찰로 소개했다.

"아마? 언론에 몇 번 거론됐으니까."

—그래서 철수한 겁니다. 당신을 잘못 건드리면 꽤 많은 이들이 회사를 찾게 될 테니까요.

아무리 연수원이 중요하다고 한들 회사가 들통나는 것보다 중요하지 않다는 게 김 대리의 설명이었다.

'그런 거였나.'

맥이 풀릴 만큼 단순한 이유였다.

그러다 종혁의 눈이 가늘어진다.

"그렇다면 그 말은 내가 유명하지 않았다면……."

-백 퍼센트 당신은 실종됐을 겁니다. 그리고 김덕술도 손쉽게 빼냈겠죠.

섬뜩!

종혁은 순간 치미는 욕설을 겨우 눌러야 했다.

그러나 인정할 수밖에 없었다.

고작 경고를 위해 어린아이마저 잔인하게 죽이려 드는 놈들이라면, 쫓아올 경찰 하나둘쯤 묻는 건 일도 아닐 테니까.

'결국 회귀 전의 난 유명하지 않았단 소리군.'

별로 알고 싶지 않았던 진실에 종혁은 울컥 끓는 화를 애써 누르며 말을 이어 갔다.

"즉, 놈들 입장에선……."

-회사 입장에선 횡액을 당한 셈이죠. 아마 지금쯤 당신을 찢어발기고 싶을 심정일 겁니다.

연수원 재설립이라는 아주 중요한 프로젝트가 어그러졌다. 그것도 막대한 돈이 투자된.

아마 종혁이 국민들에게서 잊힐 때를 노리고 있을지도 몰랐다.

조직은 절대 원한을 잊지 않는다는 게 김 대리의 설명이었다.

'그건 바라던 봐지.'

그쪽에서 먼저 다가와 주면 오히려 좋다.

아니, 그러기를 바랄 뿐이었다.

'결국 놓치긴 했지만, 엿은 제대로 먹였단 소리군.'

종혁은 기분이 좋아졌다. 꿈틀거리는 입술을 주체할 수 없을 정도였다.

“흠. 그런데 그렇게 되면 의아한 점이 하나 생기는데…….”

–김덕술이란 놈의 처남을 말하는 겁니까? 제보자?

“맞아.”

이유는 방금 전 생각한 그 이유다.

종혁은 아무리 생각해도 이놈들이 유경조를 살려 둔 이유를 알 수가 없었다.

–살려 두는 편이 이득이잖습니까.

“……아, 그런 거였군. 오케이, 이해했어.”

만약 유경조까지 실종이 되거나 사망했다면, 김덕술은 더 큰 의혹을 받게 됐을 거다.

김덕술이 과도하게 노출되지 않기 위해선 오히려 유경조가 살아 있어야 했던 거다.

‘확실히 놈들의 조심성을 생각하면 말이 돼.’

여차하면 사람을 죽이는 놈들이라 너무 복잡하게 생각했던 것 같다.

“오케이. 협조해 줘서 고마워. 다음에 또 필요하면 연락하지.”

–아, 그게 음…….

전화를 끊으려던 종혁의 눈이 가늘어졌다.

“걸리는 게 있다면 말해 봐. 듣는 건 내가 알아서 들을 테니까.”

–후. 이건 정말 제 추측이니까 그냥 흘려들으셔도 됩

니다. 아마 회사는 다단계 투자 사기를 포기 안 했을 수도 있습니다. 교회, 아니 사이비 교단도요.

종혁은 허리를 세웠다.

"그렇게 생각하는 이유는?"

—유의미한 데이터를 얻었다고 생각하고 있을지도 모르니까요.

"유의미한?"

—회사는 결국 실패한 다단계 투자 사기를 재활용해서 이번 일을 성공 직전까지 진행했습니다. 당신만 아니었으면 성공했을지도 모르죠.

그건 맞다.

—이런 아이템을 가만 놔둘 수 있을까요?

"흠……."

—회사는 실패한 데이터라도 재활용할 수 있는 부분이 있으면 기꺼이 재활용합니다.

"자세히 말해 봐."

—깔끔하게 포기하기엔 너무 많은 자금이 들어갔습니다. 알잖습니까. 우리 회사가 얼마나 돈에 집착하는지. 어쩌면 그 프로젝트와 별개로 다른 지방에서 더욱 진화된 다단계 투자 사기가 퍼지고 있을지도 모릅니다. 사이비 교단도 마찬가지고요.

"메인과 별개의 프로젝트가 진행 중일 거다?"

—그 프로젝트가 메인이 아닐 수 있습니다.

왜일까.

이 순간 갑자기 희대의 사기꾼 '조희구'의 얼굴이 떠오르는 건.

'이놈, 정말 이놈들 소속인 거 아니야?'

종혁의 표정이 심각해졌다.

—그냥 날려 버리기엔 다단계 투자 사기의 잠재력이 너무 큽니다.

"네가 진행한 프로젝트라서 그렇게 느끼는 건 아니고?"

—회사가 왜 지금까지 드러나지 않았는지 생각해 보면 답이 나올 겁니다.

'……실패에서도 배운다는 거군.'

종혁은 고개를 끄덕였다. 실패에서 배우지 않는 사람이나 집단은 결국 무너지기 마련이었다.

'좋은 걸 알게 됐군.'

돈에 대한 놈들의 집착이 예상보다 더 대단하다는 것.

'그래서 이렇게 깔끔하게 포기한 거였어. 다른 프로젝트가 진행 중이니…….'

"계란을 한 바구니에 담지 않는다는 거군."

확실히 일리 있는 생각이다.

여기까지 생각한 종혁은 묘한 표정을 지었다.

"너무 진심으로 협력하는 거 아니야?"

—……하루라도 빨리 가족들과 함께 살고 싶어서입니다. 진짜 내 집에서 포근하고 안락한 침대에 누워 가족들과 잠들고 싶은 겁니다. 내가 협력하는 이유는 오직 그 때문입니다.

그 진심 가득한 말에 종혁은 피식 웃었다.

'이래서 충신이 배신하면 무서운 거지.'

종혁은 김 대리를 확보한 과거의 자신을 듬뿍 칭찬했다.

"그럼 마지막으로 하나 더. 그 지원부의 감시자가 아직도 근처에 남아 있을까?"

―아뇨, 없을 겁니다. 한 번 철수하기로 마음먹었으면 그 어떤 흔적도 남기지 않는 것. 그게 회사의 철칙이니까요.

'쯧. 다 외웠는데.'

그건 좀 아쉬웠다.

"알았어. 나탈리아 씨 바꿔 봐."

―나예요.

"방금 들으셨죠?"

종혁은 방금 떠오른 계획에 대해 설명했고, 나탈리아는 그걸 보강하며 많은 이야기를 나눴다.

"음? 과수대 왔네요. 이만 끊을게요. 그리고……."

―네?

"메리 크리스마스입니다, 나탈리아."

―……후훗. 메리 크리스마스예요, 최.

전화를 끊은 종혁은 차를 출발시키며 차창을 열었다.

서늘하다 못해 칼바람 같은 공기가 달궈진 머리를 식힌다.

"이제 2004년도 며칠 안 남았구만."

은은한 미소가 어리던 종혁의 얼굴이 갑자기 굳는다.

"그러고 보니 올해도 솔로인가?"

종혁은 핸드폰을 보며 다시 전화를 걸까 심각하게 고민

했다.

* * *

12월 31일의 종각역 근처.

곧 타종을 할 보신각 앞에 많은 인파가 몰려 있다.

"형님, 사람이 너무 많은 거 아닙니까? 남조선 사람들은 원래 이렇게 노는 걸 좋아합니까?"

크리스마스 때도 느낀 거지만, 서울 인구가 많다는 걸 새삼 깨닫게 된다. 이런 행사가 있으면 전 국민이 함께 어울린다는 것이 부럽기도 하다.

종혁은 눈을 휘둥그레 뜬 순철의 머리를 헤집었다.

"남조선이 아니고 한국, 인마."

"아직 입에 안 붙습네다."

"난 안 보입네다! 나 좀 올려 주시라요!"

피식 웃은 종혁은 그녀를 번쩍 들어 올려 목마를 태웠다.

"와아! 다 보입네…… 히익! 철이 오빠! 종이 엄청 큽네다! 저 종을 만들기 위해 남조선 인민의 철이 많이 들었겠구나야!"

"푸핫!"

"호호호호호!"

이 자리엔 종혁과 고정숙, 순철 순희 남매뿐만 아니라 소영 등 친구들까지 있다. 수호는 아쉽게도 휴가를 나오지 못했다.

발랄하게 버둥거리는 발을 쓰다듬던 종혁은 갑자기 시선이 느껴져 고개를 돌렸다가 의아해했다.

흐뭇해하면서도 뭔가 마냥 흐뭇해할 수 없다는 복잡 미묘한 눈빛.

"왜? 엄마도 해 줘?"

"그러기만 해 봐. 혀 깨물고 죽어 버릴 거니까."

"거 아니면 말지 협박은……."

종혁은 다른 시선을 느껴 고개를 돌렸다가 정면을 바라봤다. 이리나가 난 해 줘라는 눈빛을 강렬하게 보내고 있었기 때문이다.

"아, 시작한다."

ㅡ아아, 그럼 지금부터 2004년…….

한 해를 보내는 마지막 행사가 막 시작되었다.

"3! 2! 1!"

데엥! 데엥!

"해피 뉴 이어!"

"와아아아아아!"

하늘을 향해 빵빵 터지는 폭죽과 종소리.

사람들은 올 한 해도 수고했다며 스스로를 다독였고, 2005년 새해는 더 달라지자고 함께 온 지인들과 약속을 했다.

종혁도 사람들을 향해 덕담을 던졌다.

"해피 뉴이어. 새해 복 많이 받아라."

"형님도 많이 받으십시오."

"우리 순희는 내년엔 키 좀 크고."
"걱정 마시라요! 곧 철이 오빠보다 클 겁네다!"
"뭐? 지금 뭐라 했네?!"
"응? 내가 뭐라고 했습네까?"
"내려오라! 얼른 내려오라!"
"큭큭큭. 자, 이제 그럼 차 막히기 전에 돌아갑시다! 너희들도 우리집 와서 한잔할 거지?"
"당연하지!"
"가자! 고고! 고고!"
그들은 웃음꽃을 피우며 종혁의 집으로 향했다.
그렇게 2005년 새해가 시작되었다.

* * *

부우우웅!
종혁과 최기룡 청장을 태운 차가 새벽녘의 고속도로를 달린다.
전에 함께 종가에 가자는 약속 때문에 경주 최씨 충렬공파의 종가로 향하는 거다.
"김덕술 그놈 종신형을 받았다고?"
살인 및 시체 유기다.
제아무리 김덕술이 우발적이었다고 주장한다고 한들, 시체 유기까지 한 순간 양형에 선처를 구할 수는 없었다.
"사형을 받았어야 했는데 아쉽게 됐죠."

"사형이 어디 그리 쉽나. 그래도 보험사에서 보험 계약 무효 확인 소송을 걸었다며?"

종혁은 고개를 끄덕였다.

"이걸로 감당할 수 없는 사채 빚까지 끌어안게 됐으니 전부 다 잃게 된 셈이죠."

뒤늦게 밝혀진 것에 의하면, 김덕술은 놈들에게 받는 돈 말고도 거액의 사채를 쓴 걸로 판명이 났다.

김덕술은 이제 노환이나 병환으로 죽을 때까지 사식 한 번 제대로 먹지 못한 채 고통과 괴로움의 감옥 생활을 하게 될 거다.

그것이 김덕술이 감당할 죄의 무게였다.

"그럼 그…… 피해자 유족은 어떻게 되는 거냐?"

유일한 가족인 누나를 잃으며 희망도 잃었을 경조.

"잘 아는 변호사를 연결해서 최대한 피해 보상을 받을 수 있도록 조치했으니까 너무 걱정 마세요."

헤어지던 날 경조는 '공부를 할 거다'라며 삶의 의지를 피력했다.

'자신이 좋은 대학이나 번듯한 직장을 가졌으면 사람들이나 경찰이 이렇게 무시하지 않았을 거라고 했지.'

그런 목표와 눈을 한 사람은 쉽게 그릇된 선택을 하지 않기에 종혁은 안심하고 돌아올 수 있었다.

"그리고 행복의 재단에서 경조 같은 사람들을 위한 새로운 후원 프로그램을 기획 중이라서 최소한 돈 걱정은 하지 않을 겁니다."

마지막으로 경조의 신고를 무시한 형사는 뒷돈을 받은 정황이 드러나서 옷을 벗게 됐다.

최기룡은 그제야 안심한 듯 푸근히 웃으며 고개를 끄덕였다.

"권 영감이 정말 회개하는구만. 이거 표창장을 줘야 하는 거 아냐?"

"아주 좋아하실 겁니다. 이사장님 의외로 그런 욕심 많으시거든요."

"그래? 오직 돈만이 진리던 돈 귀신도 많이 변했네."

참 기꺼운 변화였다.

"그보다 성묘는 다녀왔고?"

"어제 다녀왔습니다. 청장님은요?"

"나도 다녀왔지. 어휴, 그놈의 잡초는 매년 뽑아도 뽑아도 왜 그리 자라는지."

"하하. 아직까지 벌초를 하세요? 차라리 맡기시죠?"

"안 그래도 이젠 화장할 생각이야. 나 죽으면 관리나 제대로 되겠어? 그럴 바엔 차라리 가족묘를 쓰는 게 낫지."

그렇게 두런두런 이야기를 나누다 보니 어느새 둘은 종가에 도착할 수가 있었다.

고풍스런 한옥 담장이 둘러진 한옥.

마치 영화 세트장을 연상케 하는 한옥을 보는 종혁의 눈빛이 오묘하다.

'여기도 오랜만이네.'

회귀 전, 경찰대 엘리트들과의 진급 경쟁에서 계속 밀

리다가 결국 눈 딱 감고 한 번 찾아와 봤던 충렬공파의 종가.

'그땐 외부인 취급을 받았지.'

같은 최씨가 아니라 다른 성씨인 것처럼 외면을 받았다. 누구 한 명 말을 걸어 주지 않았고, 경계 어린 눈초리만 많이 받았다.

억울했지만 이해한다. 일평생 코빼기도 비추지 않았던 놈이 갑자기 찾아와 도와 달라고 하니 누가 좋아할까.

'솔직히 실망도 했고.'

꽤 알아주는 성씨인 경주 최씨.

그래서 기대를 많이 했는데, 명절에 와 본 충렬공파 종가엔 사람이 별로 없었다. 최기룡 청장도 없었다.

그래서 그냥 눈칫밥이나 얻어먹다가 돌아 나와야 했다.

이후론 다시 찾지 않았다.

'이번에도 그러려나?'

찾는 사람이 별로 없는데도 자존심만 높은 곳.

종혁에게 경주 최씨 충렬공파 종가는 그런 장소였다.

"다 챙겼냐?"

종혁은 대답 대신 종이백 두 개를 들어 올렸다.

피식 웃은 최기룡이 앞장섰다.

"들어가자."

"예."

그렇게 대문을 넘자 옛 전통한복과 정장을 입은 사람들이 눈 속을 파고든다.

갑자기 현재에서 개화기 시대로 돌아간 느낌.

'어라?'

사람이 많다. 회귀 전과 비교하면 거의 20배 정도 많다.

이 넓은 종가가 꽉 찬 느낌.

'왜 많지? 거기다…….'

"어이구, 최 청장 왔어?"

"오셨어요, 아저씨?"

최기룡을 반갑게 맞이하던 사람들.

'왜 이렇게 살가워?'

회귀 전, 이들은 결코 이렇게 살갑지 않았다. 서로에게도 말이다.

당황하던 종혁은 의아해하는 시선들이 꽂히자 얼른 자세를 바로했고, 최기룡이 타박하듯 말했다.

"아니, 우리 충렬공파의 자랑을 몰라보면 어떡해?"

"엇?! 유, 유도 금메달리스트 최종혁?!"

"지, 진짜다!"

"우와!"

"아이고, 유도 영웅이 우리 충렬공파라는 소린 들었는데……. 잘 왔어요, 잘 왔어."

회귀 전과는 너무 다른 반응들.

종혁은 어색하게 웃으며 인사를 했다.

"종부님은?"

"안쪽에 계세요."

고개를 끄덕인 최기룡은 종혁을 이끌고 저택의 안쪽으

로 향했다. 그리고 작은 한옥 앞에 서서 공손히 양손을 모았다.

"종부님, 저 기룡입니다."

"……오셨으면 들어오시게."

안으로 들어가니 족히 여든은 되어 보이는 작은 체구의 할머니가 허리를 꼿꼿이 세운 채 앉아 있다.

종혁은 다시 묘한 표정을 지었다.

회귀 전엔 뵙지 못한 분이다.

경주 최씨 충렬공파의 가장 큰 어른.

종혁과 최기룡은 그녀에게 큰절을 올렸다.

"그간 강녕하셨습니까, 종부님."

"종부 내려놓은 지 십 년이 넘었는데 아직까지 종부이신가?"

"제겐 영원히 그러시죠."

"하여튼 그놈의 넉살은. 그런데 옆에 계신 분은?"

"종혁아, 인사드려라. 이분이……."

"처음 뵙겠습니다, 할머님. 최종혁입니다. 종자 돌림입니다."

종혁의 얼굴을 보고 고개를 갸웃하던 할머님의 얼굴에 웃음꽃이 피어난다.

"귀한 분께서 오셨습니다. 이 나라와 최가의 허명을 빛내 줘서 매일 고맙다 생각하고 있었습니다. 이번에 그 사건도 참 통쾌하다 싶었습니다. 그 불쌍한 사람들의 한을 잘 달래 줬어요."

아무래도 충렬공파의 최고 큰 어른은 뉴스와 신문을 자주 보는 것 같다.

"별말씀을요. 당연히 해야 할 일을 한 거죠. 아, 이건 빈손으로 오기 그래서 가져와 봤습니다. 마음에 드실지 모르겠습니다."

"빈손으로 오셔도 되는데…… 어이구, 화장품을 사 오셨어요? 이 늙은 사람이 이런 귀한 걸 발라서 어디다 쓴다고."

"아직도 한참 고우신데요. 그리고 제 어머니가 말하시길 여자는 눈을 감을 때까지 꾸며도 모자란다고 하시더라고요."

"호호호! 그래요?"

"그리고……."

종혁은 두툼한 봉투를 내밀었다.

"어이구, 종가의 큰 어른이 무슨 돈 걱정을 한다고……."

"어머니가 말하시길 뭐든 내 주머니에서 나와야 어깨가 펴지는 거라고 하시더라고요. 손자가 준 용돈이다 하고 필요한 거 마음껏 쓰세요. 다른 손자들 찾아오면 조금씩 들려 주시고요."

"호호호호호!"

한바탕 웃음을 터트린 그녀는 푸근히 웃었다.

"최 청장이 자신과 꼭 닮은 사람을 데려왔습니다."

"……칭찬이시죠?"

"이 자식이?"

"호호호! 그럼요. 아, 편히 앉아요. 게 밖에 누구 있니?"

"네, 할머님!"

"가서 상 좀 봐 오너라!"

"네-!"

상이란 말에 최기룡은 화들짝 놀라 종혁을 봤고, 종혁은 그 뜻을 몰라 고개를 모로 기울였다.

이윽고 간단한 다과상이 들어오자 할머니가 슬그머니 입을 연다.

"그런데 실례가 안 된다면 유씨 남매 사건에 대해 물어봐도 될까요?"

"그럼요. 재판도 모두 끝난 상황인걸요. 그게……."

종혁이 운을 떼자 할머니의 눈이 초롱초롱 빛난다.

"어이구! 어이구, 그런 때려죽일!"

"또 이런 일도 있었어요."

"어이구야…… 최 청장은 그 자리에 앉아 뭐하는 겁니까!"

"예?"

"이런 사람 나오지 않게 해 달라고 이 나라 국민들이 그 자리에 앉힌 거잖아요!"

"아, 아니?!"

"너무 화내지 마세요. 청장님도 청장님 나름 고충이 많으세요."

"그래요. 그래. 속이 참 깊습니다."

종혁은 그녀의 흐뭇해하는 눈빛에 가슴이 뻐근해지는 걸 느꼈다.

'내게 할머니가 계셨다면 이랬을까.'

종혁의 인생에 단 한 번도 없었던 할머니란 존재.

마냥 생각만 했던, 어머니의 그것과는 다른 포근한 향기에 종혁의 입가에 미소가 피어올랐다.

그렇게 최기룡은 좀 억울한 담소가 이어졌다.

"할머님, 곧 차례가 시작된다고 합니다."

"끄응. 시간이 벌써 이렇게 됐나? 어서 가 보세요. 여기까지 왔는데 조상님께 인사는 드려야죠."

"예, 그럼 곧 다시 올게요."

"그래요, 그래."

어느새 할머니는 종혁의 손을 꼭 잡고 턱턱 쓸어내렸다.

애정이 듬뿍 어린 손길엔 꼭 다시 오라는 메시지가 담겨 있었다.

그렇게 인사를 하고 밖으로 나오니 최기룡이 허탈하게 웃는다.

"정말 그놈의 넉살은……."

그 어떤 어른이라도 절절 매는 경주 최씨 충렬공파의 호랑이를 이렇게 녹인 사람이 또 있을까.

지금의 종부에게 곳간 열쇠를 주고 물러나면서 더 대하기가 어려워진 분인데, 그 얼굴에서 웃음꽃을 피우게 만드는 것도 모자라 다과상을 받은 사람은 종혁이 처음이었다.

일평생 종부란 굴레에 얽혀 함부로 웃지도, 울지도 못한 채 체통을 지켜야 했던 분에게서 말이다.

"음?"

"잘했다고, 이놈아. 가자. 종손과 종부도 봬야지."

"아, 예!"

종혁은 종손에게는 뒷주머니 용돈과 종부에겐 화장품 및 뒷주머니 용돈으로 점수를 크게 따며 오늘 종가를 찾은 사람들 사이에 자연스럽게 녹아들었다.

하지만 어딜 가나 꼭 오지랖을 부리는 사람은 있었다.

"종자 돌림이라고? 양친은 모두 살아 계시는가?"

"부친께선 오래전에 타계하셔서 어머니와 함께 살고 있습니다."

"저런. 그럼 결혼은 했고? 애인은?"

"하하. 아직 없습니다."

말로만 들은 레퍼토리에 종혁의 속이 좀 흐려졌다.

하지만.

"쯧쯧. 사지 멀쩡하고 이렇게 잘생겨서 아직까지도 애인도 없으면 어떡해? 자."

"예?"

"이거 가지고 나가서 아무 여자나 마음에 든다 싶으면 꽃 한 다발 사 줘. 다 그렇게 시작하는 거야."

"아니……."

종혁은 손에 쥐어진 20만 원에 당황할 수밖에 없었다.

그런데.

"취직은 하셨는가?"

"예. 경찰입니다. 경위예요."

"어이구. 최 청장과 같이 나랏일을 하시는구만. 잘됐군. 그럼 이거 가지고 상사들 수발하시게. 어디 진급하는 게 능력만 가지고 되남?"

"아, 아니……."

이번엔 30만 원이 쥐어진다.

이분들뿐만이 아니다.

갓을 쓴 어르신들 모두 덕담과 함께 거액의 용돈을 흔쾌히 투척한다. 레퍼토리가 맞긴 한데, 예상을 벗어난 레퍼토리.

'이, 이런 오지랖이라면 얼마든지 들을 수 있긴 한데…….'

종혁은 원래 이런 건가 싶어 최기룡을 찾았는데, 그는 다른 아래 항렬들에게 덕담과 함께 용돈을 나눠 주고 있었다.

이후로도 덕담이 계속 이어졌다.

누군가는 사인을 부탁했고, 또 어떤 분은 최씨가 현대에 들어서 자랑할 수 있는 위인이 나왔다며 좋아했다.

"휴우. 대체 뭐가 뭔지."

대문을 나와 담배를 문 종혁은 얼떨떨한 정신을 수습하기 위해 정말 애를 써야 했다.

하지만 그럼에도 흔들린 정신은 쉬이 가라앉지 않았다.

'진짜 예전에는 이러지 않았는데…….'

용돈과 덕담이 뭔가.

종혁은 아직까지도 그 냉담한 시선들이 잊히질 않는다. 아무리 최기룡 청장과 함께 왔다지만 회귀 전과 달라도 너무 다르다.

"……대체 뭔 일이 있었던 거야?"

종혁의 눈이 냉정하게 가라앉았다.

"여기 있었어?"

종혁은 다가오는 최기룡을 향해 다급히 입을 열었다.

"원래 종가 분위기가 이럽니까?"

"……그럼?"

종혁의 질문을 이해 못하던 최기룡은 약간의 시간이 흐른 후에야 무슨 말인지 깨닫고 웃음을 터트렸다.

"너도 인사드리며 느꼈겠지만, 우리 문중엔 콧방귀 뀌는 양반들이 제법 많아."

원래 곳간에서 인심 나는 법이다.

"왜? 당황했어?"

"카메라만 찾았다면 몰래카메라로 생각했을 겁니다."

"으하하하핫!"

종혁도 피식 웃었다.

"다들 좋은 분들인 것 같네요. 부담되는 이야기도 안 하시고."

부담될 이야기에 금융치료가 따라붙으니 결코 부담스럽지 않다.

"내가 괜히 널 데려왔을까. 그보다 어르신들에게 명함은 많이 받았냐?"

"몇 장 받았어요."

"흠. 역시 아직 초면이라서 그런가 보다. 그래도 잘 보관해. 언제 쓸 일이 생길지 모르니까."

"글쎄요."

'쓸 일이 있을까?'

최기룡은 회의적인 반응 보이는 종혁의 모습에 씁쓸히 웃었다.

'하긴, 익숙하지 않겠지.'

듣자 하니 친가 외가와 모두 연을 끊고 살았다고 한 종혁이다.

양가에서 그 어떤 도움도 받지 못한 채 힘들게 자라다 못해 크게 성공한 개천에서 용 난 케이스.

오직 같은 성씨라고 무턱대고 잘 대해 주는데 믿을 리가 없었다.

"푸후우. 종혁아."

걱정이 가득 담긴 담배 연기가 허공으로 흩어진다.

"사람이 아무리 잘나도 살아가다 보면 꼭 누군가의 도움이 필요할 때가 있더라. 그게 나보다 한참 못하는 사람이더라도 말이야."

사람을 결코 혼자 살 수가 없다.

서로 돕고 살 수밖에 없으며, 이런 관계를 통해 인맥이 넓어지는 거다. 이제 내년이면 경감으로 진급하면서 경찰 간부로서의 진짜 커리어를 쌓아 갈 종혁.

이런 인맥 형성은 간부로서의 필수 함양이라고 할 수 있었다.

"아……."

'이걸 가르쳐 주기 위해서였나.'

왜 갑자기 종가에 가자고 했는지 이제야 알 것 같다.

종혁은 최기룡 청장의 이런 호의에 가슴이 뭉클해지는 걸 느꼈다.

"……예. 명심하겠습니다."

"그래. 넌 참 영특해서 좋아. 다 피면 들어와라. 형님들 술 상대할 사람이 없다."

"먼저 들어가십시오. 곧 들어가겠습니다."

종혁은 서늘한 바람이 불어오는 흐릿한 하늘을 보며 입술을 비틀었다.

"그런데 없네."

솔직히 종가에 오면 친가 친척들을 볼 거라 생각했다.

"뭐, 와 봤자 내 입에서 좋은 소리는 나오지 않겠지만."

무슨 사정인지 모른다. 궁금하지도 않다.

피붙이 갓난아이를 외면한 그들이기에 종혁도 버리는 것뿐이다.

담배를 툭 던진 종혁은 다시 술판이 벌어지는 건물 안으로 들어갔다.

"내가 이번에 좋은 사업 아이템을……."

"그래서 손녀가 반에서 몇 등이라고?"

"으하하핫!"

대낮부터 술이 거하게 들어가니 이제야 평범한 모습을 보이는 어른들.

"어서 와! 어서 와!"

얼른 오라는 그 손짓에 종혁은 일순 푸근함마저 느낀다.

'이게 핏줄인가.'

엄연히 따지자면 참 먼 관계이건만 이 순간만큼은 이들이 이날 이때까지 일평생 곁에 없었던 친척처럼 느껴진다.

종혁은 난생처음 느끼는 핏줄의 따스함에 얼른 발을 놀렸다.

"죄송합니다. 제가 늦었죠?"

"그럼! 우리 종혁이가 없으니까 술맛이 안 나! 그래서 어떻게 됐다고?"

"하하. 그게요……."

종혁은 다시 이야기보따리를 풀었고, 그 흥미진진한 이야기에 어르신들은 무릎을 탁탁 치며 흥분했다.

"아, 그렇다니까요? 지금 아르헨티나에서 원자재 붐이 일어나고 있어요. 이걸 누가 사냐? 중국이 삽니다! 저 인구 수 많은 중국! 지금 저 중국의 위상이 달라지고 있다고요!"

"오호?"

누군가는 관심 어린 표정을 짓고, 또 누군가는 여기까지 와서 사업 이야기를 하는 그를 못마땅한 듯 쳐다본다.

"지금이 바로 아르헨티나에 투자할 시기입니다! 날 믿어 보십시오! 바닥에서 골골거리던 제가 이런 걸 입고 다니는 거 보면 모르겠습니까?"

온갖 유명 명품으로 몸을 치장한 오십대 장년인.

후덕한 몸매가 그의 재력을 더 돋보이게 하는 것 같다.

하지만 그의 얼굴을 자세히 본 종혁으로선 웃음만 나왔다.

"으으음."

종혁은 혹하는 얼굴의 최기룡을 바라봤다.

그뿐만 아니라 이 자리에 앉은 이들 중 많이 이들의 귀가 그쪽으로 향해 있었다.

종혁은 헛웃음을 터트렸다.

"이야."

아르헨티나의 원자재 붐.

당연히 알고 있다.

그 결말도.

분명히 단타로 치고 나오면 꽤 쏠쏠하게 벌 것이다.

그런데 왜일까.

이 사업 권유와 미래의 삭막했던 종가의 모습이 연관되어 있다고 느껴지는 건.

'너 때문이었구나, 최종철.'

2008년, 총 피해액이 무려 378억에 달하는 투자 사기의 주범. 최종철.

종혁의 눈이 사납게 빛나기 시작했다.

* * *

종혁이 이놈을 아는 이유는 단순했다. 당시 이놈을 잡기 위해 특별수사대책본부가 꾸려졌기 때문이다.

특수본이 꾸려진 것도 모자라 전국 경찰들이 이놈 하나 잡겠다고 상의 안주머니에 사진을 넣고 다녔다.

'겨우 그 사이즈로 왜 특수본이 세워졌나 했더니…….'

연쇄살인 사건이나 아동 납치 등 사회적으로 큰 이슈가 아니면 쉽게 세워지지 않는 특수본.

이젠 알겠다.

놈이 충렬공파를 털어 버렸고, 은퇴한 최기룡 청장이 움직인 거다.

"조심히 올라가. 다음엔 꼭 어머니와 함께 오고."

어느새 말을 놓으신 할머님의 모습에 종혁은 활짝 웃었다.

"옙! 다음엔 날씨 좋을 때 올 테니까 꼭 마실 나가요! 필요한 게 있으시면 언제든 연락 주시고요."

"호호. 그래, 그래. 종혁이도 김치나 장 떨어지면 말하고."

아쉬워하면서도 손을 젓는 할머님과 그런 그녀의 모습에 놀라는 종가 사람들을 뒤로한 종혁은 최기룡과 함께 차에 올랐다.

부우웅!

명절이 끝나고 복귀하는 사람들 때문에 막히는 도로 위.

"흠. 중국이라…… 아르헨티나라……."

종혁은 꽤 심각한 얼굴로 중얼거리는 최기룡의 모습에 튀어나오려는 한숨을 억지로 참아야 했다.

"왜요? 관심 있으세요?"

"크흠. 나도 몇 달 후면 은퇴잖냐. 노후 준비해야지."

"흠. 믿을 만한 사람이긴 해요?"

"종철이는 잘 모르겠지만, 그놈 아버지는 잘 알지. 아주 강직한 사람이거든. 판사 출신이야."

같은 항렬이라서 더 잘 안다.

'그래서군.'

이래서 친족 사기가 무서운 거다. 사기꾼이 별다른 작업을 안 해도 믿을 만한 배경이 있으니까.

보통 친족 사기는 거의 호부견자로 인해 발생한다.

종혁은 그래서 화가 나고 안타까웠다. 경찰청장인 최기룡마저도 그 배경에 껌뻑 넘어가 버려서 더.

"그건 믿을 만한 근거가 아니죠. 그 사람의 됨됨이가 어떠냐는 게 문제죠."

"흠, 종철이의 됨됨이라……. 뭐 학창 시절엔 썩 좋지 않았지. 그래도 군대 다녀온 후엔 맘 잡고 사업을……."

최기룡의 말끝이 흐려진다.

"서, 설마. 그놈 아비가 아직도 멀쩡히 살아 있는데……."

종혁의 무심한 시선에 정신을 번쩍 차린 최기룡은 이를 악물었다.

"뭔데? 아는 게 있으면 얼른 말해 봐!"

"일단 제가 권&박 홀딩스와 안면이 있는 거 아시죠?"

"알지. 왜 몰라."

종혁의 종잣돈이 거기서 나왔다는 건 최기룡도 알고 있다.

"이모 말에 따르면 아르헨티나에 원자재 붐이 일어난 건 맞다고 합니다. 실제로 권&박에서도 투자가 들어갔다고 하고요. 하지만 비전을 따지면, 글쎄요……."

현재 아르헨티나는 그렇게 벌어들이는 돈으로 인프라 및 기간망 사업에 투자를 하지 않은 채 돈 잔치만 열고 있다.

이 외에도 여러 이유가 있는데, 그 결론은 하나다.

아르헨티나는 얼마 못 가 망해 버릴 나라라는 것이다.

"이런 걸 따져 보면 오히려 지금부터 발을 빼야 합니다."

단타로 한탕 크게 치고 빠진다면 딱 적기이긴 하지만 타이밍을 잘못 잡으면 그냥 나가리다.

"만약 현재 타이밍에 투자를 해야 한다면 중국에 해야겠죠. 솔직히 이 타이밍도 늦은 거지만. 아니, 그보다 아르헨티나에 정말로 회사를 만든 건 맞을까요? 그 동네 치안이 거지 같아서 그렇게 호락호락한 곳이 아닌데……."

"……일단 차 세워 봐."

종혁은 가까운 휴게소에 차를 세웠고, 최기룡은 차에서 내리자마자 담배를 뻑뻑 피우기 시작했다.

종혁은 그 마음을 이해했다.

오늘 본 충렬공파 종가의 모습은 판타지 세상이라고 할 만큼 이상적인 곳이었으니까.

그런 종가의 모습에 익숙해진 최기룡이기에 아마 쉽게 받아들일 수 없을 거다.

한숨을 길게 내쉰 최기룡은 아직도 불신이 서려 있는 눈으로 종혁을 봤다.

"그러니까 네 말은 한국에서 하던 사업을 접고 아르헨티나로 넘어가 회사를 세운 종철이가 지금 우리 충렬공파에 사기를 치려는 거다?"

"확실한 건 아니죠. 그분이 정말 좋은 의도로 투자를 권유한 걸 수도 있는 거니까요. 하지만 확실히 하려면……."

"거기에 직접 가 봐야겠지. 씨부럴. 좆같네."

그 비전에 혹해 퇴직금 일부를 밀어 넣을까 생각했으면서도 확인을 하려 들지 않았던 자신의 안일함과 같은 충렬공파 사람을 의심해야 된다는 꺼림칙함 등으로 인해 최기룡은 짜증이 솟구쳤다.

'일단 알아보려고 해도…….'

알아볼 수 있는 사람이 없다.

그가 경찰청장이라고 해도 확실한 정황조차 없는 사건에 형사를 보낼 수는 없다. 직권남용이기 때문이다.

그는 자신의 경찰 인생에 그런 오점을 남기기 싫었다.

"제가 다녀올게요."

"야, 인마!"

"다녀오는 데 뭐 오래 걸린다고. 휴가나 며칠 더 주세요. 대신 이것 하나만 확실히 해 주세요. 청장님 부탁 때문에 가는 거 아닙니다. 그냥 제가 조른 거예요."

"대체 왜……."

"할머님을 위해서라고 치죠."

미래엔 계시지 않은 할머니.

노환이 아니라 이 일로 인해 화병으로 돌아가신 거라면?

종혁은 트렁크에 실린 김치와 온갖 장을 떠올리며 주먹을 쥐었다.

난생처음 친족에게 받아 본 선물, 온정.

이거면 충분했다.

놈들에게 집중하던 시선을 잠시 돌리려는 이유로는.

* * *

"설을 잘…… 뭐야, 이 돼지들은? 명절 동안 뭘 어떻게 잡순 거야?"

"뭐 이 자식아?!"

"저 자식이?!"

발끈하는 특수범죄수사과 형사들을 무시한 종혁은 가장 안쪽에 있는 책상으로 향했다.

의자를 뒤로 젖힌 채 잠들어 있는 사십대 초반 중년인 하나와 그 옆에서 딱딱하게 굳은 채 눈치만 보는 멀대 하나가 새로 들여놓은 책상들을 차지하고 있다.

종혁은 눈을 감고 있는 중년인을 보며 묘한 미소를 지었다.

'드디어 왔구나.'

씩 웃은 종혁은 중년인이 앉은 의자를 툭 쳤다.

"여기가 안방입니까?"

"음? 어우, 너무 편해서 깜빡 졸았지 뭐냐. 의자 죽이네. 이거 얼마짜리냐?"

"에라이, 쪽팔리게 칼침 맞아서 전입이 두 달이나 늦었으면 눈치 볼 생각은 안 하고. 옆에 재수 좀 본받읍시다."

그랬다. 이 두 명은 오택수와 최재수였다.

본래 올해 초에 넘어왔어야 했는데, 인사이동 결과 발표날 어떤 살인자를 잡다가 사이좋게 칼에 찔리면서 약

두달여 동안 병원 신세를 져야 했다.

오택수보다 빨리 퇴원한 최재수는 이미 신고식을 거친 상황이다. 결과는 아슬아슬하게 성공.

오택수가 사람으로 만드는 데 성공을 한 것 같았다.

"아까 인사 다 했어, 새끼야. 이 새끼는 지가 불러 놓고 쪽을 주네? 죽을래?"

"됐고, 일어나기나 해요. 휴가니까."

"휴가?"

눈을 가늘게 뜨며 일어나는 오택수를 일견한 종혁은 김종두 과장에게로 향했다. 오택수와 최재수가 오면서 파트너에서 물러난 김종두 과장.

"그럼 전 저 인간들 데리고 휴가 다녀오겠습니다."

난데없는, 그것도 명절 연휴 다음 날의 휴가였지만 대충 사정을 들은 김종두는 허락을 할 수밖에 없었다.

"사이즈는?"

"가서 확인해 봐야죠."

"오케이. 조심히 다녀와. 사고 치지 말고. 거기서 사고 치면 국제적 망신이다."

"아니, 내가 뭔 사고를 친다고……."

"대답."

"충성."

종혁은 그렇게 둘을 데리고 인천국제공항으로 향했다.

부우웅!

달리는 차 안.

"어? 저희 집은 이쪽 방향이……."

당황하는 최재수를 무시한 오택수가 종혁을 보며 입을 연다.

"그래서 종목이 뭔데?"

종혁은 씩 웃었다.

역시 베테랑은 눈치가 빨라서 좋다.

"투자 사기요. 아직은 정황만. 장소는 아르헨티나."

"이야, 특수가 좋긴 좋네. 그렇게 먼 해외도 가 보고."

역시 오길 잘했다며 오택수는 사납게 웃었지만.

"서, 설마 사건입니까?! 그, 그것도 아, 아르헨티나요?!"

종혁은 놀라면서도 놀이공원에 간다는 소리를 들은 아이처럼 잔뜩 흥분하는 최재수를 가리켰다.

"저거 사람으로 만든 거 맞죠?"

"그러니까 데려왔겠…… 지?"

종혁과 오택수는 얼굴이 와락 구겨지는 최재수를 무시하며 차를 몰았다.

그렇게 인천공항에 도착해 티켓을 받은 그들은 출국게이트로 향했고, 종혁은 앞장서는 오택수를 보며 고개를 모로 기울였다.

"왜 거기로 가요? 우린 저쪽입니다."

"……응?"

종혁은 항공사의 퍼스트 라운지를 가리켰다.

둘은 눈을 껌뻑였다.

* * *

퍼스트 클래스가 처음인 최재수가 아직도 꿈에서 덜 깬 바보 같은 얼굴을 한 채 부에노스아이레스에 있는 국제공항의 입국 게이트를 나선다.

“푸후. 후끈하네. 여름이야?”

에어컨이 없어서 그런지 공항 안임에도 찜통처럼 덥다.

절로 점퍼를 벗은 오택수는 셔츠를 펄럭였고, 재킷을 한 손에 걸은 종혁은 입국 게이트 근처를 주욱 둘러봤다.

그러다 ‘welcome Korea choi’라는 팻말을 든 이십대의 미녀를 발견하고 그에게 걸어갔다.

검정색 짧은 반바지와 달라붙는 반팔 셔츠를 입은 몸매 좋은 금발 미녀.

“권&박 홀딩스에서 나왔습니까?”

종혁의 입에서 나오는 능숙한 스페인어에 오택수와 최재수뿐만 아니라 미녀도 깜짝 놀란다.

“최?”

“최종혁입니다.”

“와우! 한국에서 온다는 사람이 이렇게 핸섬할 줄이야! 조시예요! 조시 페르난데스! 권&박 홀딩스 해외투자사업부 아르헨티나 지사의 사원이죠!”

아르헨티나에서 한탕 크게 털어먹을 예정이라 세운 아르헨티나 지사.

종혁의 손을 잡아끌은 그녀는 까치발을 들며 종혁의 양 볼에 기습 뽀뽀를 날렸다.

"피휴우. 역시 아르헨티나답네요. 아니, 조시의 성격인가요?"

"조심해요. 우리나라는 열정이 넘치니까요."

혀를 귀엽게 빼무는 그녀의 모습에 혀를 내두른 종혁은 곧 오택수와 최재수를 소개시켜 줬다.

그녀는 오택수와 최재수의 양 볼에도 환영 인사를 했다.

최재수의 얼굴이 헤벌쭉 늘어졌다.

"가요! 차 가져왔어요! 아, 그리고 지갑 등 귀중품은 안주머니에 넣어요. 그 선을 넘는 순간부터 아르헨티나니까요!"

종혁은 무서운 이야기를 해맑게 웃으며 말하는 그녀의 모습에 뒷주머니에 넣어 놨던 지갑을 안주머니에 집어넣었다.

부우웅! 빵빵!

뭐랄까. 마굴 부산이 연상될 정도로 번잡한 도로 위.

"흐음."

조시가 끌고 온 승합차에 앉은 종혁은 권&박 홀딩스 아르헨티나 지사에서 조사한 최종철의 회사, 아이언 루카의 서류를 보며 턱을 긁적였다.

"어떻게 생각하세요?"

"이 정도면 건실한 회사 아니야? 사업 규모는 작아도."

종혁은 끄덕였다.

재무재표를 보면 제법 수준이 아니라 꽤 건실한 회사다. 특히 수출량이 대단하다.

"조시, 이 자료 신뢰성이 얼마나 됩니까?"

조시는 고개를 저었다.

"닥치는 대로 긁어모은 거라 큰 기대는 하지 않는 게 좋아요. 일단 시간이 부족했고, 인력도 없는 상황이니까요."

권&박 홀딩스 아르헨티나 지사의 인원은 총 다섯 명이다. 오히려 겨우 그 인원으로 여기까지 조사했다는 것 자체가 대단한 거였다.

"그보다!"

조시의 눈이 빛난다.

"대체 한국 본사와는 어떤 관계인 거예요?"

갑자기 아이언 루카에 대해 조사를 하라 말하질 않나, 종혁이 체류하는 동안 불편함이 없도록 하라고 하질 않나 등 여태까지 내린 지시와는 전혀 다른 지시들이 내려왔다.

그녀로선 호기심이 들 수밖에 없었다.

"아는 지인이 있어서 말입니다. 흠…… 일단 아이언 루카의 사옥부터 가죠."

"숙소가 아니라요?"

"그건 나중에."

종혁의 단호한 말에 순간 불퉁한 표정을 지었던 그녀는 이내 고개를 끄덕이며 아이언 루카의 사옥으로 향했다.

부에노스아이레스의 도심지 안쪽에 위치한 사옥은 겉으로 보기엔 제법 건실해 보였다.

15층 빌딩에서 한 개 층을 쓴다는 아이언 루카의 맞은편 도로.

종혁은 최종철이 넘긴 명함이 아니라 아이언 루카의 대표 전화를 찾아 전화를 걸었다.

"혹시 거기에 브루노 최라는 분이 있습니까? 나이는 오십대에……."

–네, 있습니다. 어디라고 전해 드릴까요?

"아닙니다. 곧 다시 연락드리겠습니다."

전화를 끊은 종혁은 눈을 가늘게 떴다.

'진짜라고?'

예상과 다른 상황.

종혁은 관자놀이를 눌렀다.

"왜? 있대?"

"있다네요."

"……정말 맞기는 해?"

"전 제 촉을 믿습니다."

"그럼 답은 하나지."

"……그렇죠?"

씩 웃은 종혁은 아이언 루카가 있는 빌딩을 향해 발을 뗐고, 담배를 문 오택수와 둘의 대화를 따라가지 못한 최재수가 고개를 갸웃거리며 뒤따랐다.

종혁은 도로를 가로지르며 핸드폰을 들었다.

"예, 형님! 저 종혁입니다. 아, 왜 서울에서 형사 하는 종혁이요. 예, 예. 이번에 아르헨티나로 튄 범죄자 하나 잡으러 왔는데, 형님 생각이 나서요! 혹시…… 지금 사무실에 계실까요?"

그렇게 말하는 종혁의 눈은 무척이나 서늘했다.

* * *

4층에 있는 아이언 루카는 제법 큰 사무실이었다.

직원은 7명. 빌딩의 3분의 1을 쓰는 큰 사무실치곤 직원의 숫자가 적었다.

하지만 사업 규모를 생각하면 영 아닌 숫자는 아니었다.

"동생!"

안쪽에서 잰걸음으로 다가온 최종철이 양팔 벌려 맞이한다.

"이게 어쩐 일이야! 아니, 안으로 들어와."

그는 자신의 사무실로 종혁을 안내했다.

"이야. 사무실이 크네요? 이런 건 얼마나 해요?"

"여기가 낙후된 나라라고 해도 수도다 보니까 거의 서울만큼 하지."

"정말 성공하셨네……. 부럽습니다. 아, 이쪽은 제 사수이신 오택수 경위님과 팀원인 최재수 순경이요."

"순경?"

"그냥 사람 만들려고 데리고 다니는 거예요."

"아."

"아, 안녕하십니까."

애써 어색하게 웃고 있던 최재수가 머뭇머뭇 고개를 숙인다.

"오택수입니다. 종혁이에게 이런 큰 형님이 계신 줄 알았으면 빈손으로 오지 않았을 텐데……."

"어이구, 뭘요. 저도 이런 친동생이 있으면 얼마나 좋았을까요. 그저 먼 친척이란 게 아쉬울 뿐이죠."

"하하. 저도 같은 생각입니다. 제 친동생이었으면 확 쥐어박아 버렸을 텐데. 이걸 진짜 확 그냥."

"아니, 내가 뭘요?"

"으하핫! 그런가요? 그래도 저희 종혁이 잘 부탁드립니다."

"아이고, 아닙니다."

"그런데…… 범죄자를 잡으러 왔다고? 어떤?"

조심스럽게 묻는 최종철의 모습에 종혁은 대수롭지 않다는 듯 입을 열었다.

"존속 살인범인데……."

퍽!

"억?!"

왜 때리냐고 오택수를 노려봤던 종혁은 부리부리하게 떠진 그의 눈에 아차 했다.

"아무튼 그래서 왔어요. 자세한 건 비밀입니다."

"아…… 그래? 살인범?"

"에헤이. 비밀이라니까요."

입을 막은 최종철은 눈을 빛냈다.

"그럼 명절 끝나고 바로 그런 사건을 맡아 여기까지 온 거야? 어이구. 얼마나 있어야 하는데?"

"하아. 저도 그걸 알 수 있으면 좋겠습니다. 이건 뭐 놈을 잡을 때까지 기약이 없으니……."

"쯧쯧쯧. 형사도 참 힘든 직업이네. 왜? 내가 좀 도와줄까?"

"어? 어떻게요?"

"내가 이 치안 나쁜 아르헨티나에서 사업을 한 게 벌써 8년이야. 이렇게 저렇게 많이 알지."

"캬, 역시 형님부터 찾아오길 잘했다니까! 거봐요. 내가 오자고 했죠?"

"흐하핫! 종가에서도 느꼈지만, 동생은 참 넉살이 좋아."

"흐흐. 감사합니다."

"있어 봐?"

책상에서 어떤 수첩을 꺼낸 그는 한 전화번호를 종혁에게 알려 줬다.

"감사합니다, 형님. 이놈 잡으면 꼭 은혜 갚을게요."

"뭐얼. 핏줄끼리 돕고 사는 거지."

손을 저은 최종철은 다시 눈을 빛냈다.

"그런데 듣기로 모친께서 자수성가를 하셨다고 하던데……."

그 질문에 종혁도 속으로 눈을 빛냈다.

알아서 접근하려는 최종철의 행동이 우스우면서도 고마웠다.

"에고. 그게 형님 귀에도 들어갔어요? 어휴. 이럴 것 같아서 말 안 하려고 했었는데……."

"아니, 왜?"

"친가 쪽과 오래전에 절연을 해서요. 그 아시잖아요. 사촌이 땅을 사면 배가 아프다는 거."

"아아, 그런 거였어? 내가 괜한 말을 한 건가?"

"아뇨. 뭐 그게 대단한 비밀이라고. 흠…… 그래도 이왕 말이 나와서 하는 말인데, 저도 형님 사업에 투자를 해도 될까요? 소소하게 한 3억?"

종혁은 눈썹이 꿈틀거리는 그를 보며 속으로 입술을 비틀었다.

그렇게 이런저런 이야기를 더 나누던 종혁은 다음에 보자는 말을 남기며 건물을 빠져나왔고, 최종철은 무단횡단을 하는 종혁을 보며 묘한 표정을 지었다.

"처음엔 들켰나 싶더니만……."

곧 경찰청장직에서 물러난다는 최기룡.

경찰이라서 냄새를 맡은 건가 마음을 졸였는데, 일단 아닌 것 같다.

그런 거였으면 철이 없어 보이는 종혁이나 애송이 순경이 아니라, 진짜 형사들을 보냈을 테니 말이다.

"하긴 경찰 따위가 이 먼나라 사정을 어떻게 알겠어?"

현지에서도 전문가가 아니고서야 알 수 없는 일이다.

"저런 놈이 뭔 사건을 그리 해결한 건지……. 하여튼 최기룡 그 양반 고상함을 다 떨더니만 결국 혈연으로 밀어준 거였구만?"

그게 아니면 고작 25살 청년이 그렇게 큰 사건들을 턱턱 해결할 리가 없었다.

콧방귀를 뀐 그는 핸드폰을 들었다.

"어. 난데. 곧 내가 소개시켜 줬다고 한국인이 한 명이 연락할 거야. 한 이십 일쯤 요리조리 돌려서 제 입에서 한국에 가고 싶다는 말이 나오게 해 줘. 응, 그래."

전화를 끊은 그는 사무실을 나섰다가 얼굴을 구겼다.

종혁들이 나가고 나자 축 늘어져 있는 현지 직원들.

"일이 없어도 좀 하는 척을 해! 갑자기 누가 찾아오면 어쩌려고 그러는 거야! 내가 너희들한테 영업을 하라고 했냐, 아님 일감을 따오라고 했냐! 다 내가 하잖아! 내가!"

최종철이 저들에게 바란 건 혹시라도 사무실을 찾아올 사람들에게 그럴듯하게 보이기 위한 모습을 보여 달라는 것뿐이었다.

"그러고도 월급은 받고 싶지? 어?!"

최종철의 그 외침에 현지 직원들은 슬그머니 눈치를 보며 부산을 떨었고, 종철은 혀를 차며 안으로 들어갔다.

"내가 왜 이런 나무늘보들을 뽑았나 몰라. 쯧."

한편 밖으로 나온 종혁은 입술을 비틀었다.

"오 경위님도 못 들었죠?"

"……?"

뜬금없는 종혁의 말에 최재수는 의아해했지만, 오택수

는 아니었다. 그는 입술을 뒤틀며 낄낄 웃었다.

“어. 그 긴 시간 동안 전화벨 한 번 울리지 않더라. 사업 규모는 작아도 건실하다는 놈의 사무실에 말이야.”

“……?!”

이제야 깨닫는 최재수를 무시한 종혁과 오택수는 피식 웃었다. 역시 견적이 나오지 않을 땐 이렇게 직진하는 게 최고다.

보아라. 벌써 뭔가 이상하다는 걸 깨닫게 됐지 않나.

차로 돌아온 종혁은 조시에게 최종철에게 넘겨받은 핸드폰 번호를 넘겨줬다.

“이놈이 누군지 한번 알아봐 줘요.”

최종철이 소개시켜 준 놈이다. 결코 정상일 리가 없었다.

종혁은 알아서 꼬리를 드러내 주는 최종철이 참 고마웠다.

* * *

쿵쿵쿵쿵!

격렬한 비트와 화려하게 번쩍이는 사이킥 조명 아래, 비키니를 입은 남미의 육감적인 미녀들이 돌아다니는 호텔의 풀 파티.

“꺄르르.”

“호호호.”

빨간색, 하얀색 비키니를 입은 미녀가 앞을 지나가자 한 손에 맥주를 든 최재수가 정신을 못 차린다.

이미 인중이 저 쪼 아래까지 늘어진 최재수.

"저 모지리."

하얀 바지에 하얀 셔츠를 입은 종혁은 피식 웃는다.

"경위님도 일단 즐기세요."

본격적인 수사는 내일부터 해도 된다.

체류 기간이 곧 휴가 기간으로 연결되는 이번 수사.

시간은 많았다.

"시끄러워. 내가 이런 거 즐길 나이냐?"

"그런 말을 하려면 목은 좀 어떻게 하든지."

"……죽이네, 진짜!"

비트에 맞춰 목을 까딱이던 오택수가 결국 일어나 몸을 흔든다.

"이예에!"

최재수도 결국 정신을 놓는다.

"야! 이거 경비 처리는 되는 거냐?!"

"되겠습니까?"

고개를 저은 종혁은 조시가 왜 이런 숙소를 잡은 건지 의문이 들었다.

'권 이사가 시켰을 리는 없을 텐데…….'

수사에 들어갔을 때 종혁 본인이 얼마나 예민해지는지를 아는 권아영이기에 일순 잘 이해가 되질 않는다.

'설마 권&박에서 출장 오는 직원들이 이런 걸 선호하는 건가?'

하지만 그 의문은 곧 이쪽을 향해 걸어오는 조시를 보

곤 잊어버렸다.

'옷을 입으면 말라 보이는 타입이구나.'

여신처럼 보이는 하얀 비키니를 입은 그녀.

반팔 셔츠 안에는 흉기가 감춰져 있었다.

"즐기고 있어요?"

종혁은 대답 대신 주황빛 칵테일을 들어 올렸다.

섹스 온 더 비치. 그 뜻은 해변의 정사.

이름부터가 즐기고 있다는 걸 노골적으로 피력한다.

그에 조시가 배시시 웃었다.

"여기요. 아이언 루카 직원 명단."

눈을 빛낸 종혁이 받아 들고, 몸을 멈춘 오택수가 정신 줄마저 놓으려는 최재수의 오금을 걷어찼다.

"악?"

"정신 안 차리지? 어휴, 이걸 진짜 어떡하지?"

"죄, 죄송합니다."

종혁의 주위에 둘러앉은 그들은 직원 명단을 훑었다.

내부의 정보를 알고 있는 사람은 누굴까.

그건 바로 직원이다.

이들의 수사는 여기서부터 시작이었다.

"흠. 간단한 프로필밖에 없네."

"이것만 해도 어디예요. 나머진 저희가 보강해야죠."

궁핍한 사람이어도 좋고, 범죄를 저질렀어도 좋다.

그런 약점이 있는 사람을 찾아야 한다. 그래야 내부 정보를 얻을 수 있다.

이게 수사의 기본이다.

'그리고…….'

직원들 사진을 모두 훑던 종혁은 한 사람을 발견하곤 눈을 빛냈다.

'이 사람이군.'

훗날, 최종철이 중국으로 도주했다는 걸 알려 준 직원.

종혁은 그 얼굴을 머릿속에 각인시켰다.

"일단 오 경위님과 최 순경이 한 조로 움직여 주세요. 통역과 차량 붙여 줄 테니까."

"오케이. 일단 싹 다 미행해 보고 동선 짜서 다시 분배하자."

"전 내일 최종철이 붙여 준 놈을 따라 시내 한 바퀴를 돈 후에 항구를 뒤져 볼게요."

"시내 한 바퀴 돈 후에 찢어지잔 소리지? 오케이."

무역 회사인 아이언 루카의 제품이 출항을 기다리고 있을 항구.

일단 수출 내역이 진짜인지를 확인해야 됐다.

오택수는 알아들었다는 듯 고개를 끄덕였고, 최재수는 둘이 나누는 대화를 어느새 꺼낸 수첩에 기록하며 수사에 대해 배우려 노력했다.

조시는 그런 셋의 모습을 기이하다는 듯 봤다.

"대체 당신들은 누구예요?"

"한국 경찰."

"……그 몸에? 그 외모로? 와우."

종혁은 슬그머니 가슴을 펴며 콧대를 세웠다.

'역시 난 해외에서도 먹히는 얼굴인가?'

참 뿌듯했다.

'아, 이게 아니지 참.'

"장비는 모레까지 확보할 테니까……."

다시 셋은 수사에 대한 토론을 시작했고, 조시는 그런 종혁을 빤히 응시했다.

불타오르던 분위기도 밤이 더 깊어지자 수그러들었다.

방금까지 미녀들과 남자들이 한바탕 어울리던 욕망의 풀은 쓰레기만 남았고, 종혁과 일행들도 내일을 위해 잠잘 준비를 했다.

"오늘 수고했어요. 내일도 부탁하고요."

아직 옷을 갈아입지 않은 조시의 온몸이 빨갛다.

악수를 받은 그녀는 종혁의 맑은 눈을 빤히 바라보다가 짓궂게 웃었다.

"여자가 필요하면 말해요. 돈 많은 사람 좋아하는 애들 많으니까. 그리고……."

"음?"

쵹!

볼에 닿았다가 떨어진 뜨겁고도 부드러운 입술.

"그런 애들이 싫다면 나도 있어요. 참고로 난 오늘 이곳에 방을 잡았고, 앞으로 2시간 동안 안 잘 거예요."

윙크를 한 그녀는 엉덩이를 씰룩이며 멀어졌고, 종혁은

휘유 혀를 내둘렀다.

"뭐야. 뭔데? 방금 뭐야?"

최재수는 '난?' 하며 억울한 표정을 짓는다.

귀찮다는 듯 손을 저으며 방 안으로 들어간 종혁은 샤워기에서 쏟아지는 물을 맞으며 방금 전 상황을 떠올렸다.

"흐응."

그의 눈빛은 제법 의미심장했다.

* * *

아침부터 달라붙는 음흉한 시선들을 무시한 종혁은 최종철이 연결해 준 사십대 남성과 만났다.

팔목 위부터 턱까지 온갖 문신이 가득한 스킨헤드 택시기사.

전신에 문신을 했음에도 캐쥬얼하게 입어서인지 외향이 그리 거슬리진 않는다.

"너희가 브루노 최가 말한 짭새야?"

껄렁한 외모처럼 껄렁거리며 말하는 그.

"최종혁입니다. 최라고 불러 주세요. 그리고……."

맞잡는 손에서 굳은살이 느껴진다.

종혁은 싱긋 웃었다.

"당신의 물주지."

"와우, 아주 듣기 좋은 말인걸? 난 가르시아! 편할 대로 불러 줘!"

종혁이 50달러 뭉치 한 다발을 하나 꺼내자 가르시아의 눈이 획 돌아간다.

"내가 부탁할 건 딱 세 가지야. 놈이 숨어 있을 만한 곳을 알려 줄 것, 적극 협조해 줄 것, 그리고 식사는 맛있는 곳에서. 그럼 돌아가기 전에 네 다발을 더 주지."

눈이 동그래진 가르시아는 재빨리 택시의 뒷문을 열며 허리를 숙였다.

"가시는 길이 지구 끝이라도 편안하게 모시겠습니다, 손님."

오택수는 돈의 위력에 박수를 치며 택시에 올랐다.

그렇게 그들은 알리바이 확보를 위한 거짓 수사를 시작했다.

부우웅!

"그런데 누굴 잡으려는 거야?"

종혁은 가슴팍에서 사진 한 장을 꺼냈다.

"이놈 본 적 있어?"

가르시아는 고개를 저었다.

"전혀. 하지만 이런 나라로 도망친 놈들이 숨는 곳은 알지!"

"그래? 어딘데?"

"보카."

가르시아는 씩 웃었다.

겨우 도로 하나 차이다.

위로는 깨끗한 순환고가도로에 차들이 쌩쌩 다니고, 아래쪽 더러운 도로엔 차들이 별로 안 다닌다.

4차선 도로, 그 십 몇 미터 차이로 거리의 분위기, 아니 색채의 톤이 바뀐다.

-거기가 어디라고 가요! 거긴 우리 보나에렌세도 안 가는 곳이란 말이에요!

보나에렌세.

부에노스아이레스에서 태어나고 사는 이들이 스스로를 일컫는 말이다.

즉, 이곳 보카 지구와 부에노스아이레스는 서로를 경원시하는 곳이란 소리다. 한 도시 내에 있으면서도.

"여기로 안내하던데요? 그렇게 위험한가요?"

보카 지구란 곳에 대해 알기 위해 전화를 했던 종혁은 고개를 모로 기울였다.

-그걸 말이라고!

"알았어요. 일단 끊어요. 오니까."

-최! 최-!

종혁은 모자를 들고 오는 가르시아를 보며 전화를 끊었다.

"이제부터 내 말 잘 들어, 물주님들."

가르시아가 사 가지고 온 모자를 나눠 주며 낯빛을 굳힌다.

"지갑, 시계 귀중품은 여기에 넣고, 다시 이 자리로 돌아올 때까지 핸드폰은 절대 꺼내지 마. 돈은 조금씩 나눠서 셔츠주머니와 뒷주머니에. 시비 건다고 함부로 주먹

휘두르지 마. 총 맞으니까."

방금까지 경박한 모습을 보이던 그가 문신에 걸맞게 험악하고 조심스런 눈빛을 짓는다.

그래서 그런지 거리의 위험이 더 확 느껴진다.

하지만 종혁은 피식 웃었다.

'얘들이 무서울까, 아님 연변 애들이 무서울까?'

흑룡강성도 만만치 않다.

그래도 종혁은 군말 없이 지시를 따르기로 했다. 알리바이를 만들러 온 건지, 정말 누군가를 찾으러 온 게 아니기 때문이다.

그래도 이 타이밍에 할 말은 해야 됐다.

"왜 하필 이런 곳에서 온 거지?"

"범죄자가 숨으면 어디겠어?"

할 말이 없다.

그의 말이 합당해서가 아니라 수작을 부리는 게 뻔히 보여서다.

외국 영화에선 단골 레퍼토리지만, 그거야 배우들이 죄다 백인, 흑인, 라틴이라서 그렇다.

동양인이 이런 빈민가에 숨는다?

'며칠이나 버틸 수 있을까?'

같은 생각인지 오택수가 묘한 미소를 지으며 귓속말을 했다.

"야, 차라리 저놈만 보낼 걸 그랬다."

마치 사건 개요를 살피는 척 수첩에 붙여 놓은 직원들

의 사진을 살피는 최재수.

어깨에 힘이 들어간 걸 보니 아직도 형사가 되기에 멀었단 생각이 든다.

“지금이라도 최 순경만 보낼까요?”

“우린 최종철 직원들 쫓고?”

이런저런 경험을 해 봐야 완성되는 게 한 명의 형사다. 최재수에겐 지금부터 겪을 일이 참 도움이 될 거다.

하지만…….

“푸후. 살아만 오라고 말하기엔…….”

“좀 믿음직스럽지 못하죠.”

이래서 최재수만 보내지 않은 거다. 정말 살아만 돌아올 확률이 있기에.

혀를 찬 그들은 하는 수 없이 보카 지구 안으로 들어가기로 했다.

그렇게 4차선 도로를 지나 보도에 발을 딛는 그 순간, 종혁은 꿈틀거리는 미소를 억지로 눌러야 했다.

시선이 모인다.

갑작스레 나타난 외지인에 슈퍼 아줌마도, 거리에서 페트병 따위를 차던 아이들도, 주저앉아 담배를 나눠 피우던 소년들도 모두 그들을 응시한다.

섬뜩!

그 무기질적인 눈동자에 공포를 느낀 최재수가 오택수에게 달라붙는다.

“붙지 마, 이 새끼야. 더워!”

"하, 하지만……."

"거기서 팔짱 끼면 게이 커플로 오해받는다, 최 순경."

그제야 후다닥 떨어지는 최재수의 모습에 낄낄 웃은 종혁은 느긋이 앞장서는 가르시아에게 따라붙었다.

그가 다가오자 가르시아는 얼른 입을 열었다.

"아깐 말하지 않았는데, 여기선 애들이 다가와서 뭘 팔면 꼭 사야……."

"됐고. 여기 맛집이 어딥니까?"

"……어?"

"맛집. 식당. 배고파."

이 순간 가르시아는 종혁이 미친놈인가 하는 생각을 했다.

그러나 고개를 끄덕일 수밖에 없었다. 어차피 데려가려고 했으니 말이다.

'그런데 알아서 들어가자고 하다니…….'

웃음만 나왔다.

"따라와요."

돌아선 가르시아는 입술을 비틀었다.

'곧 나가자고 애원하게 될 거야, 애송이들.'

이런 입구 따위가 아닌 진짜 보카.

소매치기나 폭력 따윈 어린애 장난으로 치부되는 지옥. 보카 출신인 그조차도 함부로 다니기가 힘든 곳인 보카 지구.

'과연 얼마나 버틸 수 있을까?'

가르시아는 주위를 살피며 안쪽을 향해 조심스럽게 걸

음을 옮겼다. 그 뒤를 겁을 잔뜩 먹은 최재수가 주위를 경계하며 뒤를 따랐다.

가르시아가 안내한 곳은 보카 입구에서부터 약 300미터 정도 안쪽에 있는 한 식당이었다.

딱히 밖과 안의 경계가 없는 작은 식당.

“오, 가르시아! 돌아온 거니?”

식당 안으로 들어서자 후덕하게 생긴 할머니가 반갑게 맞이한다.

“이딴 동네에 왜 돌아오겠어. 난 입구가 제일 좋아, 후엔토 아줌마.”

“그럼?”

“일단 밥부터 줘. 배고파.”

할머니는 푸근히 웃었다.

“아무거나 시키렴.”

가르시아는 종혁을 봤다.

“최…….”

“여기 있는 메뉴 다 주세요, 후엔토 할머니.”

완벽한 에스파뇰, 보나에렌세라고 해도 믿을 만큼 완벽한 스페인어에 놀랐던 할머니가 이내 걱정스런 표정을 지었다.

“괜찮겠니? 우리 집 음식은 양이 좀 많단다.”

“제 몸을 보세요. 걱정하지 않으셔도 돼요.”

“호호호! 재밌는 청년이 왔는걸? 알았어. 아무 데나 앉아 있으렴.”

"음료수부터 주세요!"
"호호호!"
그녀가 몸을 돌려 칼을 잡자, 종혁은 긴장을 놓으면 죽을 것처럼 사주경계를 하는 최재수를 툭 치고 빈자리에 앉았다.
곧 할머니가 자몽 음료 네 잔을 들고 왔다.
"일단 목을 좀 축이고 있으렴."
"감사합니다. 아, 혹시 이런 사람 본 적 있을까요?"
후엔토 할머니는 눈을 가늘게 떴다.
"……마피아니?"
"제 옷차림을 보세요. 그렇게 보여요?"
확실히 그렇게 안 보인다. 밑바닥을 구르는 놈들 특유의 빈티가 전혀 느껴지지 않는다.
후엔토 할머니는 쓰고 있던 안경을 코에 걸치며 사진을 살폈다.
"이 사람은 누군데?"
"살인범이요. 돈도 엄청 훔쳐서 이 나라로 도망쳤어요."
"얼마나?"
"한 2천만 달러?"
흠칫!
후엔토 할머니뿐만 아니라 외지인을 신경 쓰던 다른 손님들마저도 사진을 노려본다.
"미안하구나. 이런 동양인이 우리 동네에 들어왔으면 모를 리가 없을 텐데……."

"그런가요?"

일부러 아쉬움을 드러낸 종혁은 사진에 전화번호를 적어 할머니에게 쥐여 줬다.

"혹시 보게 되면 그 번호로 연락 주세요. 사례는 두둑하게 할 테니까."

종혁은 그러며 주위 손님들에게도 사진을 나눠 줬고, 후엔토 할머니는 한순간에 벌어진 일에 이마를 잡았다.

"얼른 음식 내올 테니까 그거 먹으면 곧바로 보카를 떠나렴."

"예?"

"다 널 생각해서 하는 말이야. 대체 어쩌자고 그런 말을……."

한숨을 내쉰 그녀는 얼른 주방으로 돌아갔고, 종혁은 의아해하며 가르시아를 봤다.

"내가 뭘 잘못한 겁니까?"

가르시아는 터지려는 웃음을 겨우 참으며 어깨를 으쓱했다.

'이 멍청한 한국 놈! 보카에서 돈이 있다는 걸 자랑하다니!'

일이 생각보다 더 잘 풀리게 됐다.

"아줌마가 괜히 한 말이겠지."

"그렇지?"

'지랄 염병하네.'

뒷골목에선 돈 자랑을 하지 마라.

관할서 형사도 아니고, 광수대 지능범죄수사대 등 여차하면 해외까지 수사 범위를 넓혀야 했던 부서에서 형사

생활을 한 종혁이 이런 걸 모를 리가 없다.

그럼에도 이렇게 한 건 가르시아의 의도에 어울려 주기 위해서다.

'어지간히 찔리나 봐, 최종철. 날 이렇게 아르헨티나에서 내쫓으려고 들고.'

가르시아가 이 위험한 빈민가에 왜 데려왔겠는가. 자신들로 하여금 위험한 상황을 겪게 만들기 위해서다.

그래서 부에노스아이레스에 학을 떼고 한국으로 돌려보내려는 거다. 아마 가르시아는 몇 번 더 이처럼 위험한 곳을 데려갈 터.

'고맙네. 정말 고마워. 우리가 움직일 시간을 만들어 줘서!'

이제 가르시아가 의도한 대로 위험한 상황을 겪은 후, 잔뜩 겁을 먹은 척 숙소에 처박히고는 이틀 후에나 다시 가르시아에게 연락을 할 거다.

그 이틀은 종혁이 최종철의 의심을 받지 않고 최종철의 직원들을 살필 시간이었다.

종혁은 어느새 나온 아르헨티나식 샌드위치 초리판을 씹으며 오택수와 눈으로 대화를 나눴다.

그에 멀뚱해진 최재수는 속으로 입술을 내밀었다.

'씨발. 좀 알려 주면 어디 덧나나? 만날 자기들끼리만 쿵짝이…… 어?'

"저 여자는?"

최재수는 재빨리 바지주머니에서 수첩을 꺼내 들었다.

역시였다. 최종철 회사의 직원이었다.

"오 경위님, 저기……."

스윽!

"꽃 좀 사 주세요."

꾀죄죄한 옷차림의 9살 정도 되는 소녀가 꽃을 내민다.

갑작스런 상황에 최재수는 당황했다.

"쉭쉭! 어서 나가렴! 이곳에 들어오면 안……."

후엔토 할머니가 화난 얼굴로 걸어 나왔지만, 그보다 종혁이 빨랐다.

"얼마니?"

"이십 페소요!"

"오, 안 돼……."

보카에선 '함부로 꽃을 사지 마라, 잠깐의 동정이 큰 재앙으로 돌아올 수 있다'는 말이 있다.

꽃 따위를 살 돈이 있으면 자신들에게 적선을 하라며 지갑을 뺏어 가는, 저 밖을 돌아다니며 해맑게 웃는 소년들도 언제든 강도로 돌변할 수 있는 곳이 바로 보카 지구인 탓이다.

할머니는 다시 이마를 잡았고, 돈과 꽃 한 송이를 교환한 소녀는 해맑게 웃으며 식당을 달려 나갔다.

종혁은 의아해하며 할머니를 봤다.

"무슨 문제 있나요? 여기 가르시아 씨가 어린아이가 뭘 권유하면 꼭 사라고 하던데요."

"가르시아, 너 지금……!"

"왜요? 맛잖아요?"

뭐가 문제냐는 듯한 가르시아의 모습에 후엔토 할머니의 표정이 딱딱하게 굳었다. 가르시아와 종혁들을 번갈아 본 그녀는 눈을 질끈 감았다.

"됐어! 당신들한테는 안 팔아! 내 가게에서 썩 꺼져!"

"예?"

"썩 꺼지라고! 안 꺼져?!"

그녀가 빗자루를 들며 위협하자, 종혁은 당황한 모습을 보이며 가게를 빠져나가는 수밖에 없었다.

"뭐, 뭐예요? 대체 왜 이러는데요?"

현재 상황을 이해하지 못하는 최재수를 일견한 종혁은 어떻게 된 일이냐는 듯 가르시아를 봤다.

가르시아는 천연덕스럽게 어깨를 으쓱였다.

"원래 이 동네 사람들 모두 변덕이 심해. 그래도 음료수값 굳어서 다행이네."

마치 일상이라는 듯 킬킬 웃는 가르시아의 모습에 종혁은 터지려는 웃음을 겨우 참았다.

"흠. 다른 식당은 없습니까? 배가 너무 고픈데요."

"없긴 왜 없어. 조금만 더 올라가면 있어. 올라가자고."

가르시아는 손을 까딱였고, 셋은 그의 뒤를 따랐다.

그렇게 얼마나 따라갔을까.

툭툭.

갑자기 낯빛이 굳은 오택수가 종혁의 허리를 친다.

"종혁아."

"알아요."
이렇게 노골적인데 모를 리가 없다.
그 순간이었다.
"어이, 가르시아!"
"헉! 다, 다른 길로 가지. 여긴 아니야."
아르헨티나 국대 유니폼을 입은 삼십대 남성이 껄렁거리며 다가오자, 가르시아는 얼른 돌아서려고 했다.
"죽고 싶지 않으면 더 움직여 보든가."
멈칫!
"아하하. 애, 앤디, 오랜만이야?"
"오랜만? 푸흐흐. 어이, 가르시아. 내가 이 동네에 다시 얼굴 비추면 어떻게 한다고 했지?"
"아하하, 그게……."
"그보다 이 동양인들은 뭐야? 돈 많아 보이는데?"
"이, 이 사람들은 안 돼! 내 소중한 고객……."
"닥쳐."
앤디라 불린 중년인은 권총을 빼 들어 종혁의 가슴을 쿡쿡 눌렀다.
"이봐, 내가 무척이나 가난하거든? 그러니 적선 좀……."
"내 상의 주머니와 바지 뒷주머니. 저 남자는 바지 앞주머니. 뒤에 키만 큰 놈은 뒷주머니."
"응?"
"돈 뺏으려는 거 아니었어?"
"어, 그렇기는 한데……."

'이 새끼는 뭐하는 놈이지?'

보통 이 동네에서 돈을 뺏기는 놈은 겁을 잔뜩 먹거나 짜증을 삼킨다. 그게 정상적인 반응이다.

그런데 종혁은 다르다.

무심하다 못해 유리알처럼 투명한 눈동자.

앤디는 난생처음 보는 타입에 당황할 수밖에 없었다.

3장. 수고비

수고비

"다, 다신 이 동네에 오지 마. 이건 그 조언의 수고비야! 하하핫!"

앤디 패거리가 물러나자 종혁들은 곧바로 몸을 돌려보카 지구를 빠져나왔다.

부우웅!

"잘했어! 아까 거기서 반항했으면 벌집이 됐을 테니까!"

가르시아가 칭찬을 하자 종혁과 오택수는 속으로 피식 웃었다.

그러나 최재수는 달랐다.

"씨발, 씨발……."

종혁은 분에 못 이겨 떠는 최재수를 보며 씁쓸히 웃었다.

'오늘 일이 좋은 경험이 될 테지…….'

일반 관할서 형사라면 총에 익숙해지지 않아도 된다.

한국은 총기 범죄가 거의 일어나지 않는 나라니까.

그러나 수사에 거리와 성역이 없는 특수범죄수사과는 그래선 안 된다. 광역수사대, 마약수사대도 마찬가지다.

이렇게 범죄자를 쫓아 해외까지 나올 수 있는 특별수사과들은 총기나 칼 등 여차하면 사람 목숨을 뺏을 수 있는 흉기에 익숙해져야 한다.

그래야 내 몸을 지키면서 범죄자를 검거할 수 있다.

최재수가 어떤 의도로 특수범죄수사과를 희망했는지는 모르겠지만, 일단 들어온 이상 무조건 이겨 내야 할 문제였다.

'이겨 내지 못한다면 어쩔 수 없는 거고.'

초짜인 최재수를 배려하려다가 동료가 다칠 수 있기에 종혁은 단호해질 수밖에 없었다. 오택수도 같은 생각이었다.

'그래도 일단 잘했어, 최재수.'

최재수가 발견한 그 여성.

아이언 루카의 직원.

하지만 그냥 직원이 아니다. 훗날 최종철이 중국으로 도주했다는 걸 알려 준 그 직원이었다.

'그 여자가 보카에 살았다니!'

조시가 조사한 정보와 다르다.

하지만 더 좋다.

범죄 따윈 밥 먹듯 일어나는 위험하기 그지없는 빈민가 보카 지구. 그 누가 이곳을 벗어나고 싶지 않을까.

그들이 딱 원하던 인물상이었다.

'정말 잘했어!'

최재수의 발견이 아니었으면 꽤 시간을 낭비할 뻔했다.

종혁은 좀 있다가 칭찬해 줘야겠다고 다짐했다.

그때였다.

삐리링! 삐리링!

맹렬하게 울리는 가르시아의 핸드폰.

"음……."

망설이던 가르시아는 얼른 전화를 받았다.

"내가 곧 다시 전화할게."

가르시아는 그 말만 하고 전화를 끊어 버렸고, 종혁은 슬그머니 물었다.

"무슨 전화야?"

"아, 친구."

'친구긴. 앤디란 놈이겠지.'

둘이서 눈빛을 주고받던 게 얼마나 요란하던지, 모른 척하기가 힘들 정도였다. 아무래도 이제야 종혁이 뿌린 씨앗이 앤디의 귀에 들어간 것 같았다.

"어흠. 그럼 이제 어디로 갈 거야? 다른 곳으로 안내해 줄까?"

종혁은 고개를 저었다.

"일단 숙소로."

"흐흐. 역시 총기를 심하게 단속하는 한국에선 이런 상황이 드물지? 여긴 일상…… 오우, 알았어. 그렇게 노려 보지 말라고."

"쯧."

'아주 최종철에게 의뢰를 받았다고 광고를 해라, 해.'

아르헨티나 사람인 가르시아가 그런 한국의 사정을 어떻게 알까. 고개를 저은 종혁은 창밖을 바라봤고, 그런 그들을 태운 차는 빠르게 숙소에 도착했다.

그리고 그런 그들을 맞이한 건 조시였다.

"최-!"

종혁은 화가 단단히 난 그녀의 얼굴을 보며 한숨을 내쉬었다.

"대체 왜 보카에…… 후우. 일단 전화부터 받아요."

"전화? 누구요?"

종혁은 의아해하며 그녀가 건넨 핸드폰을 받았다가 기겁했다.

-최- 종- 혁-!

'권 이사?!'

아무래도 조시에게 잔소리를 듣기 전에 권 이사에게 잔소리를 들을 것 같았다. 눈앞이 암담해졌다.

그런데…….

-너 거기 어디야? 아니, 거기서 딱 기다려! 지금 가고 있으니까!

"응? 어딜? 여길?"

'왜?'

당황한 종혁은 눈을 껌뻑였다.

한편, 호텔에서 어느 정도 멀어진 가르시아는 앤디에게 전화를 걸었다.

–가르시아, 확실히 말해! 정말 2천만 달러가 맞아?

"나도 잘 몰라. 하지만 난 운전만 해 주는데 2만 달러를 약속받았어."

–미친! 정말이었다니!

앤디의 머리가 빠르게 돌아간다.

'일단 우리나라로 도망친 듯한 그 범죄자 놈이 가진 2천만 달러에, 한국 놈이 가진 돈까지 가질 수 있다면?'

앤디는 온몸을 내달리는 전율에 몸을 떨었다.

'이걸 다 꿀꺽하기 위해선 정보가 더 필요해!'

–가르시아!

그 급박한 외침에 가르시아는 의미심장하게 웃었다.

"장소만 만들어. 내가 데려갈 테니까. 대신 50 대 50이야."

–……좋아. 장소 만들면 연락하지.

그렇게 그들은 호랑이 아가리에 머리를 집어넣는 선택을 하고 말았다.

* * *

지금 가고 있다는 권아영의 말은 진짜였다.

쿵! 쿵! 쿵!

호텔의 레스토랑에서 파스타를 입에 집에 넣다가 심상치 않은 기세에 고개를 돌린 종혁은 이쪽으로 다가오는 권아영을 발견하고 눈을 껌뻑였다.

"어?"

분명 웃고 있는데, 웃고 있지 않는 것 같은 권아영은 다가오자마자 종혁의 귀를 낚아챘다.

"아! 잠깐, 잠깐!"

"내가 못살아, 정말! 거기가 어디라고 들어가긴 들어가?! 호호, 종혁이 직장 동료분들이시죠? 잠시 이놈 좀 데려갈게요? 따라와!"

"잠깐! 잠깐만요!"

종혁은 살려 달라 오택수에게 손을 뻗었지만 그는 신경을 끄며 다시 스테이크를 썰었고, 최재수는 세상 해맑은 미소를 지으며 손을 흔들어 줬다.

그렇게 레스토랑에서 끌려 나와 엘리베이터에 오른 종혁은 툭 그녀의 손을 걷어 냈다. 그런 그의 표정에선 당황을 찾아볼 수 없었고, 권아영은 황급히 사과를 했다.

"죄송해요, 보스."

종혁은 됐다는 듯 고개를 저었다.

"무슨 일입니까. 무슨 일이 생긴 겁니까?"

형사 일이 위험하다는 걸 아는 권아영이다. 그런데 고작 빈민가를 들어간 일로 이렇게 찾아온다?

말이 안 된다. 그럼에도 이렇게 찾아왔다는 건 무슨 일이 생겼다는 것이다.

하지만…….

"이러다 보스 얼굴을 잊을 것 같아서요."

"음?"

"우리가 언제 마지막으로 봤는지 기억은 해요?"

"……이런."

생각해 보니 작년 방범벨 제품 설명회 때 본 이후로 처음이다.

벌써 반년이 넘게 흘렀다. 박태규는 벌써 1년이 넘었다.

'내가 너무 무심했군.'

"미안합니다. 일이 바빠서 미처 그 생각은 못했습니다."

이건 진심이었다. 아무리 권아영이 자신의 사람이라고 하여도 자주 얼굴을 봐야 했다.

"후훗. 농담이에요. 내가 보스 바쁜 걸 모를까요."

"……그럼?"

권아영의 표정이 딱딱하게 굳었다.

"중국이 반분열국가법이란걸 통과시키려 하고 있어요. 이전과 달리 진심으로."

씨익!

종혁의 입술이 뒤틀렸다.

"조용한 곳으로 가죠."

종혁은 스카이라운지 버튼을 눌렀다.

반분열국가법.

대만을 겨냥한 독립 금지법이다.

애초부터 대만을 별개의 나라라 인정하지 않던 중국이라 특별할 것 없는 일이지만, 종혁은 2003년 중국의 주석이 바뀌면서 외자 유치 등 중국 경제가 활성화되기 시작하자 이 일을 경고했었다.

그런데 딱 이것만 말했다.

그래서 정보를 입수하자마자 달려왔던 거다.

"자, 이제 말해 봐요. 그 머릿속에 대해 뭐가 들어 있는지!"

궁금해 죽겠다는 그녀의 모습에 푸흐흐 웃은 종혁은 푸른빛깔의 음료를 쭉 빨았다.

"권 이사는 이걸 보며 무슨 생각이 들었습니까? 이제 좀 먹고살 것 같으니 그간 골칫덩이였던 걸 정리한다고 생각했나요?"

권아영은 고개를 저었다.

"중국이 2003년부터 경제 성장을 이루고 있지만, 아직 그럴 타이밍이 아니죠."

당장 현 주석이 집권하기 전까지 1인당 GDP가 1,000달러 미만 수준이었던 중국이다.

싼 인건비라는 무기로 해외 기업들의 하청 제조업 공장만 있는 중국이기에 이제야 숨통이 트인 수준이라고 볼 수 있다.

한국으로 치면 자취생이 맨날 김치에 밥만 먹다가 겨우 계란프라이를 추가한 수준.

그래서 이해가 안 된다는 것이다.

국내 경제 성장만 보고 달려도 부족할 판에 내부에 우환거리를 만든다? 아무리 생각해도 이해를 할 수가 없었다.

종혁은 얼른 말하라 재촉하는 그녀를 보며 검지를 들었다.

"하나 된 중국."

"하나 된……."

벌떡!

"서, 설마?!"

'하나 된 중국'이라는 키워드에 온갖 생각이 폭죽처럼 터진다.

"그, 그 말은 십억이 넘는 중국 인구가 하나가 되어 경제 성장을 이룩하겠다는 건가요?"

"예. 중국 정부는 단순히…… 흠……."

"보스?"

잠시 생각하던 종혁은 피식 웃으며 입을 열었다.

"듣고 있으면 나오시죠."

"……?"

"안 나오면 여기까지고."

"대체 무슨……."

의아해하던 권아영이 뭔가를 깨닫고 주변을 둘러보던 그때였다.

저벅저벅!

권아영은 이쪽으로 다가오는 여성을 보고 입을 떡 벌렸다.

"……조시?"

"미안해요, 권."

사과한 그녀는 종혁을 보며 어제처럼 매혹적인 눈웃음을 지었다.

"흐응. 어디서부터 들킨 건지 모르겠……."

"됐고. 당신 상관 오라고 해요."

"……!"

'어딜 요원 따위가.'

종혁은 심드렁히 그녀를 응시했다.

* * *

달그락!

헤드셋을 내려놓는 소리만 울리는 객실.

5명의 남녀가 당황하며 한쪽에 앉아 있는 삼십대 백인 남성을 본다.

머그컵을 든 채 굳어 있던 그는 머리를 붙잡으며 소리 없이 비명을 질렀다.

"대체 어디서 들통 난 거지? 어떻게?"

아무리 생각해도 이해가 되지 않는다.

방 안을 이리저리 돌아다니며 기억을 뒤지던 그는 이내 한숨을 푹 내쉬며 핸드폰을 들었다.

"부에노스아이레스의 린치입니다. 최에게 들켰습니다."

―……내가 너무 어려운 걸 부탁했나 보군.

"아니, 그게……."

―곧 갈 테니까 정중히 모셔. 아무것도 묻지 말고.

"대체 이 최라는 인물은 누구입……."

달칵!

"FUCK-!"

쿵쿵 발을 구르던 린치는 기함하며 쳐다보는 팀원들의 모습에 이를 악물며 몸을 돌렸다.

"다녀오지."

하와이안 셔츠를 걸친 그는 엘리베이터로 향했다.

"휘휘, 휘휘휘!"

휘파람을 불며 애써 마음을 가라앉히던 그는 띵 소리와 함께 열리는 엘리베이터안으로 들어가려다가 얼굴을 와락 구겼다.

서글서글한 인상을 지닌 또래의 러시아 남성.

"……발레리."

발레리 유르고프.

아르헨티나 전역에서 사사건건 CIA의 일을 방해하는 SVR 아르헨티나의 요원이다.

그와는 앙숙이라고 할 수 있다.

"안 타나?"

"최가 러시아에 중요한 인물이었어?"

"안 타면 나 혼자 가지."

"……탈 거야."

린치는 허리 뒤춤에 손을 가져가며 엘리베이터에 올랐다.

스르릉! 우우웅!

불편한 침묵이 가득한 엘리베이터 안.

"이봐, 발레리."

"나도 모르니까 묻지 마."

"그러지 말고……."

띵! 스르릉!

"쯧."

'결국 직접 알아보는 수밖에 없나?'

그건 린치 본인의 특기다.

이십대 남성, 그것도 경찰 대학을 졸업한 지 1년도 채 안 된 애송이가 숨기고 있는 비밀 따윈 1시간도 안 되어 모두 알게 될 거다.

'팀장님은 묻지 말라고 했지만…….'

어디 CIA가 돼서 그럴 수 있나.

야외 테라스로 향한 그는 씩 웃으며 손을 내밀었다.

"반갑습니다. CIA의 린치입니다. 저희 직원이 마음에 안 드셨나 보군요. 사과드립니다."

종혁은 세상 착하게 웃는 그를 심드렁히 응시하다가 몸을 일으켰다.

"호텔 안에 있을 테니까 상관이 도착하면 찾아와요."

종혁은 발레리를 봤다.

"수영 잘해요?"

"남들만큼은 합니다."

"잘됐네요. 그럼 수영장에서 맥주나 한잔하죠."

"……알겠습니다."

"뭐해요? 가요, 권 이사."

"네? 아, 네!"
그렇게 셋은 떠났고.
"저 애새끼가……."
남겨진 린치는 주먹을 꽉 쥐었다.
하지만.
"이봐요, 최! 대체 조시의 정체를 어떻게 알아차린 겁니까! 예?!"
이대로 물러난다면 CIA라고 할 수 없었다.

한편 수영장으로 내려온 권아영은 다급히 물었다.
"이게 어떻게 된 일이에요? CIA라뇨?!"
"어떻게 되긴요. 들킨 거죠."
"네?"
"내가 권&박의 진짜 주인이라는 걸."
"……네에에?!"
'솔직히 CIA가 알 거라곤 예상 못했는데 말이야.'
종혁은 누가 올까 기대하며 상의를 벗었다.
그러나 그날 새벽까지 누군가 종혁을 찾진 않았다.

* * *

탓탓탓탓탓!
해가 어스름히 떠오르는 아침의 아무도 없는 호텔 피트니스 센터.

"훅! 훅!"

귀에 이어폰을 꽂은 채 러닝머신을 빠르게 달리던 종혁은 옆에서 느껴지는 인기척에 힐끔 옆을 바라봤다.

옆 머신에 팔뚝에 털이 숭숭난 배불뚝이 오십대 백인 남성이 오르고 있었다. 다시 고개를 앞으로 돌린 종혁은 속도를 더 높였다.

그렇게 얼마나 달렸을까.

숨이 턱 끝까지 차오른 종혁은 속도를 늦추며 숨을 골랐다.

그 순간이었다.

"대체 어떻게 알아차린 겁니까?"

옆에서 빠르게 걸으며 땀을 내던 장년인이 뜬금없는 말을 한다.

하지만 종혁은 당황하기는커녕 씩 웃었다.

"단서가 너무 많았죠. 사무직답지 않은 거친 손바닥이라든가, 특별한 패턴의 굳은살이라든가."

공항에서 맞잡았던 조시의 손에 희미하게 남아 있던 굳은살은 권총을 많이 쏘면 생기는 패턴과 비슷했다.

결정적인 건 아이언 루카 직원들의 프로필을 너무 쉽게 구해 왔다는 점과 특별한 감정 교류가 없었는데도 유혹하려 들었던 점이다.

"그 외에도 걷는 습관이라든가 시선 처리 등 여러 가지가 거슬렸죠. 뭐 그보단 다가오는 사람은 잘 믿지 않는 주의지만요."

"이런. 애초부터 들킬 수밖에 없었군요."

혀를 찬 장년인은 손을 내밀었다.

"늦어서 미안합니다. 어제 도착했더니 새벽 2시더군요. CIA 동아시아 관리팀의 팀장, 헨리 스미스입니다."

"……피유. 엄청난 분이 오셨네요. 최종혁입니다. 그런데 본명이세요?"

"그게……."

"본명 맞아요, 최."

또각또각.

구둣발 소리에 고개를 돌린 종혁은 피식 웃었다.

"왔어요?"

"……끙. 나탈리아, 당신이 온 건가."

그렇게 앙숙이나 다름없는 SVR과 CIA가 한자리에 모였다.

* * *

씻고 로비의 카페로 내려온 종혁은 피식 웃었다.

서로 마주 보며 앉아 말없이 커피를 홀짝이는 나탈리아와 헨리의 사이에 불꽃이 튀고 있었기 때문이다.

달그락!

"서운해요, 최."

나탈리아가 눈을 흘기자 종혁은 항복이라며 양손을 들었다.

"나도 말하고 나서 아차 싶더라고요. 권 이사가 갑작스레 찾아오는 바람에 정신이 없었거든요."
"……거짓말인 걸 알지만 믿어 줄게요."
"하하."
헨리 스미스는 친한 둘의 모습에 속으로 혀를 찼다.
하지만 그보다 신경 쓰이는 건 그동안 그들 CIA가 잘못 파악하고 있던 정보였다.
'빌어먹을! 선후가 바뀌었다니!'
러시아 최고위층과 연관돼서 권&박 홀딩스를 만든 게 아니라, 권&박 홀딩스의 주인이기에 러시아 최고위층과 연관된 거다.
러시아 최고위층이 비자금을 만들기 위해 권&박 홀딩스를 만든 게 아니었던 거다.
이 말은 즉 종혁은 고작 한국 나이로 17살에 IMF를 예견하고, 러시아 모라토리엄을 예견했단 소리다.
그 증거가 바로 어제 종혁이 한 발언이다.
하나 된 중국.
듣는 순간 토악질이 나올 뻔한 문장.
'괴물!'
종혁은 괴물이었다.
저릿저릿!
그는 온몸을 내달리는 소름에 주먹을 꽉 쥐었다.
나탈리아는 그런 헨리 스미스를 보며 혀를 찼다.
'오해해 줘서 좋았는데…….'

결국 진실이 알려지게 됐다. 그것도 결코 들키고 싶지 않았던 CIA에게.

하지만 어쩔 수 없다.

친구인 종혁의 선택이다. 존중을 해 줘야 했다.

그리고 어차피 끝까지 들키지 않을 거라곤 생각하지 않았다. 다만 이렇게 빨리 들킬 거라곤 생각하지 못했을 뿐이다.

나탈리아는 이에 대한 작은 원망을 담아 종혁을 노려봤고, 종혁은 다시 항복을 했다.

"하아."

"하하."

"웃지 마요."

재차 째려본 나탈리아는 이내 곧 낯빛을 굳혔다.

이렇게 시간을 낭비하기엔 어제 종혁이 한 발언이 너무 강렬했다.

"그래서 하나 된 중국이란 말은 대체 뭘 뜻하는 건가요?"

헨리 스미스도 눈을 빛냈다.

종혁은 그들의 눈에 담긴 감정을 읽곤 제 몫으로 나온 커피를 홀짝였다.

"두 정보 기관에서 예상한 게 맞을 겁니다."

둘의 몸이 크게 흔들렸다.

헨리 스미스가 다급히 입을 열었다.

"중국이 10억 인구의 시장을 오픈해 경제 대국으로 발돋움한다는 겁니까?"

10억 명의 시장. 당연히 엄청나다.

아마 세계 각국 기업들은 너도나도 중국에 진출할 것이다.

또 진출하고 있다.

깃발만 꽂으면 10억이란 고객이 생기는데 그 어떤 바보가 움직이지 않을까.

하지만…….

"만약 그렇다면 중국의 경제는 분명 활성화될 겁니다. 그러나 중국은 절대 대국으로 발돋움하진 못할 겁니다. 아니, 정확히는 그럴 역량이 없습니다."

기술이 없기 때문이다.

얼마 전까지만 해도 농업 사회였던 중국.

제아무리 10억의 시장이 있다고 해도 기술과 인프라가 없는데 어째 대국이 될까.

미국 경제학자들은 중국이 웬만큼 성장할 때까지, 즉 개발도상국 수준을 벗어날 때까지 최소 30년은 걸릴 거라고 예측하고 있었다.

이런 스미스의 말에 종혁은 피식 웃었다.

"스미스 씨, 중국은 공산주의 국가입니다. 그것도 아주 강력한."

"……."

"개발도상국 수준이라고요? 그게 뭐 어때서요?"

인프라가 부족하다면 만들면 되고, 기술이 부족하다면 탈취하면 된다. 중국 내에 진출한 세계 유수 기업들에게서 뺏으면 된다.

"그걸 기업들과 미국에서 지켜볼 것 같습니까?"
"지켜보지 않으면요?"
"무슨!"
"그땐 이미 10억 시장이란 마약에 중독되어 버린 후일 텐데, 과연 포기할 수 있을까요?"
"당연히……."
"포기 못하죠. 기술보다 10억 개의 물품을 파는 게 더 이득이니까. 기술이 유출된다고 해도 핵심만 아니라면 눈을 감아 버릴 겁니다."
종혁은 입을 다무는 둘의 모습에 손을 저었다.
"뭐 이건 일단 넘어가고, 아무튼 현재 중국은 사회주의의 분위기를 형성하는 중입니다."
나라가 잘되어야 나도 잘된다.
나라의 이득이 곧 네 이득이다.
"참 터무니없는 말이지만, 실제로 10억 인민들은 현재 그 효과를 보고 있는 중입니다. 월급이 오르고, 일자리가 생기고, 편의점이나 병원 등 편의 시설이 생기는 중이죠."
"자, 잠깐! 그 말은?"
"체제 굳히기를 한다는 건가요, 최?!"
종혁은 고개를 끄덕였다.
"현 주석의 정권 내내 중국은 엄청난 경제 성장을 이룩할 겁니다. 아메리칸 드림, 한강의 기적처럼 수많은 사람들이 사업에 뛰어들게 될 테고, 또 성공할 겁니다. 그렇게 되면……."

"국민들은 정부를 찬양할 수밖에 없죠. 아니, 신격화를 할 테죠."

"실제로 삶의 질이 달라질 테니까요. 콘크리트보다 더 단단한 지지를 보내게 될 겁니다. 10억의 인구가."

월에 100달러도 못 벌던 애들이 120, 150 달러를 벌고 있다. 기본 소득이 20퍼센트에서 50퍼센트까지도 상승한 거다.

심지어 상승률은 여기서 그치지 않고 더 큰 폭으로 늘어나게 될 터.

지지하지 않을 이유가 없다.

"여기에 이제부터 중국은 자국민의 소비를 부추길 거고, 온갖 명목의 세금을 붙일 겁니다."

그렇게 되면 말도 안 되는 수준의 막대한 자금이 중국 내를 돈다는 뜻이다.

"정부가 이 돈을 가지고 뭘 하겠습니까?"

"……인프라 형성."

"눈을 감았다 뜨면 공장이 생기고, 도로가 생기고, 아파트가 올라가고. 또 감았다 뜨면 발전소가 생깁니다. 발전하는 게 눈에 뻔히 보이는 겁니다."

"맙소사."

10억 명의 인구가 단합을 한다.

이보다 무서운 말이 있을까.

헨리 스미스는 종혁의 말이 허황된 망상이길 바랐다. 하지만 공산주의 국가의 인구 전체가 단합했을 때 어떤 끔찍한 결과가 나오는지 그는 아주 잘 알고 있었다.

'독일 나치! 소비에트!'

세계의 패권을 다퉜던 나라들이다.

배가 찢어질 듯 고프고, 곳곳에서 아사자와 동사자가 나오는데도 모든 힘이 다 할 때까지 밀어붙이고 또 밀어붙여 전 세계를 공포에 몰아넣은 나라들.

"하지만 아직 중국엔 지식인들이 남아 있습니다! 만약 최의 말처럼 된다고 해도 그들이…… 빌어먹을!"

공산주의나 사회주의의 기본이 뭐던가.

바로 정보의 통제다.

중국은 앞으로도 계속 프로파간다를 할 것이고, 그에 세뇌가 된 일반 시민들은 그런 지식인들의 말에 귀를 기울이지 않을 거다.

아니, 공감한다고 해도 외면할 거다.

왜? 삶이 풍족해지는 게 하루하루 체감되니까.

더욱이 지금은 미디어의 시대다.

중국에 컴퓨터 보급화가 이뤄진다고 생각하자 헨리 스미스는 눈앞이 아찔해질 정도였다.

그건 나탈리아도 마찬가지였다.

"그럼 그다음으로 중국 정부는 뭘 할까요."

"기술을 배우겠죠. 10억 인민이……."

그렇게 되면 중국은 정말 말도 안 되는 엄청난 속도로 기술을 습득해 갈 것이다.

그리고 그렇게 기술을 배운 이들은 해외에서 많은 돈을

벌어 올 것이고, 그 돈은 다시 중국으로 돌아와 또다시 일자리 생성과 인프라 형성에 쓰일 거다.

여기까지 말한 종혁은 헨리 스미스를 봤다.

“이래도 개발도상국을 벗어날 때까지 40년이나 걸릴 것 같습니까? 전 길어야 10년 정도로 예상하고 있습니다.”

……꿀꺽.

“나탈리아, 아니 러시아가 왜 당신을 그리 숨겼는지 이제야 확실히 깨달았습니다.”

최종혁은 괴물이란 단어 따위로 설명할 수 없는 재앙이었다.

그러나 종혁의 말은 아직 안 끝났다.

“하지만 이건 결국 시작에 불과하죠.”

“무슨…… 헉! 반분열국가법?! 아니야! 말도 안 돼! 어떻게 고작 그 법률 하나로 거기까지 예측을 한단 말이야!”

종혁은 화를 내는 헨리 스미스와 경악하는 나탈리아를 보며 냉소를 지었다.

“예. 대만은 시작일 뿐입니다. 중국은 신장 위구르를 통해 서쪽으로의 진출까지 생각하고 있을 겁니다. 그래서 이 타이밍에 그런 법을 통과시킨 거겠죠.”

훗날 경제 대국을 이룩했을 때 시작될 세상을 지배하기 위한 말도 안 되는 계획.

종혁은 그걸 말하고 있었다.

* * *

"……."

그들 셋만 있는 카페에 적막이 가득하다.

너무 엄청난 걸 들은 헨리 스미스는 그 피로에 퍼져 버렸고, 나탈리아는 가슴에 손을 얹은 채 가쁜 숨을 몰아쉬고 있다.

종혁은 그들이 그러건 말건 커피를 홀짝일 뿐이었다.

'아, 미지근해졌네.'

"대체 왜……."

"음?"

"대체 왜 이런 걸 알려 준 겁니까?"

러시아에게만 알려 줬어도 될 일이다.

종혁은 그렇게 묻는 헨리의 모습에 어깨를 으쓱였다.

'싫어서.'

중국이 싫어서다. 동북공정도 모자라, 김치와 한복까지 자신들의 것이라 우기는 중국이 그냥 싫어서다.

하지만 그걸 말할 순 없었다.

"어차피 못 막을 테니까 대비하라고요."

두 나라가 합심해서 막는다고 해도 막지 못할 일이다.

하지만 그 흐름 속에서 분명히 엄청난 이득은 볼 수 있을 터.

"호오. 이득이라……."

그렇게 중얼거리는 헨리 스미스는 눈을 빛냈고, 숨을 고른 나탈리아는 나른하게 웃었다.

"최는 우리가 최대한 많이 뜯어먹길 바라는군요."

'정확히는 우리 러시아가.'

러시아만 달려든다고 해서 얼마나 이득을 볼 수 있을까.

하지만 이 판에 미국이 끼어들어 함께 흔들고 휘젓는다면?

러시아는 보다 많은 이득을 얻을 수 있을 터였다.

'만약 나를 통해 미국에 전달됐다면, 미국은 절대 적극적으로 움직이지 않았을 거야.'

거기까지 생각한 나탈리아의 눈이 파르르 떨렸다.

그녀는 상의 없이 CIA를 불러온 것을 경솔하다 생각했던 바로 어제의 자신을 반성할 수밖에 없었다.

종혁은 그런 그녀를 보며 싱긋 웃었다.

"중국의 경제 성장이 하루라도 더 더뎌질수록 좋은 판이잖아요. 좋은 건 서로 나누며 사는 거죠."

"최……."

'후. 역시 무리해서라도 미국인으로 만들었어야 했나?'

헨리 스미스는 감동하는 나탈리아를 보며 혀를 찼고, 종혁은 그런 둘을 보며 눈을 빛냈다.

"어떻게 제 망상은 도움이 되셨습니까?"

"돌아가 상의를 해 봐야겠지만……."

평생 갚아도 갚지 못할 빚을 진 것만큼은 분명했다.

"그럼 수고비, 아니 자문료를 지불해 주실 수 있을까요?"

"아, 물론 자문료는 넉넉하게……."

"CIA랑 SVR 좀 씁시다."

"……예?"

종혁은 씩 웃었다.

* * *

달마저 구름에 가려져 어두워진 보카 지구.

쇄쇄쇅!

전신을 검은색으로 무장한 사람들이 소총을 앞세운 채 복잡한 골목길을 빠르게 나아간다.

그때였다.

그들 옆의 문이 열리며 한 소년이 걸어 나오며 기지개를 켰다.

그러며 집 안에서 쏟아져 나온 빛이 어둠에 잠겨 있던 그들을 비춘다.

"힉?!"

검은 옷을 입은 사람 중 한 명이 손짓하자 양손으로 입을 막은 채 고개를 연신 끄덕인 소년은 안으로 들어갔고, 곧 소년의 집은 TV 소리마저 꺼지며 적막에 빠졌다.

그러자 그들은 다시 나아갔다.

이 소년뿐만 아니다.

사신이 왔음을 눈치챈 보카 지구의 모든 생명체는 숨을 죽였고, 그에 그들은 그 누구의 방해도 받지 않은 채 목적지에 도착할 수 있었다.

-She will wear you out linvin'la vida loca!

98년 전 세계를 강타한 라틴 가수의 노래가 흘러나오는 어느 파란 집의 옥상.

슬쩍 고개를 들어 살핀 한 사람이 뒷사람들에게 수신호를 보낸다. 그에 몇 명의 사람들이 그들을 지나쳐 위로 올라가고 옆으로 흩어진다.

죄다 가파른 경사에 지어진 집이라 조금만 올라가면 옥상이 마당이 되는 보카 지구.

대원들이 모두 자리를 잡자 귓가에 손을 가져간 그들의 대장은 입술을 달싹이다 다물었다.

'빌어먹을! 내가 왜!'

고작 삼십대의 나이에 하나의 현장을 책임지는 팀장이 됐다. 그런데 새파랗게 어린, 그것도 CIA 고위 간부도 아닌 한국 경찰 따위의 명령에 빈민가 삼류 갱이나 잡으러 왔다.

명령이야 헨리 스미스가 내렸지만, 그 타이밍이 종혁과의 대화를 마친 이후다. 뻔할 뻔 자였다.

얼굴을 와락 구기며 발을 동동 구르던 린치는 빤히 응시하는 대원들의 눈빛에 한숨을 쉬며 입을 열었다.

"진입."

후다다닥!

그들은 옥상이자 마당을 향해 총구를 들이밀며 달려들었다.

그런 그들의 눈에 축구 경기가 한참인 TV를 보며 맥주를 마시던 이들과 음악에 맞춰 춤을 추는 여자들의 경악하는 게 비춰진다.

그렇기에 그들은 단호하게 외쳤다.

"꼼짝 마!"

"엎드려!"

"헉!"

"으악!"

"엎드려! 엎드리라고!"

"팔 뒤로 해!"

"아, 알았어요! 쏘지 마!"

대원, 아니 CIA 요원들과 함께 올라온 아르헨티나 경찰특공대원들은 단 한 명도 빠짐없이 바닥에 엎드려 양팔을 머리 위로 올리자 긴장을 살짝 풀었다.

"제압 완료. 올라오면 됩니다."

평소처럼 옥상에서 음악과 축구와 맥주를 즐기다 횡액을 맞은 앤디 패거리들은 그 말에 눈을 질끈 감았다.

'대체 어떤 놈이 누굴 건든 거야!'

'우린 마약도 안 파는데!'

요 사이 크게 잘못한 게 없어서 의아하고 억울한 그들.

그런 그들을 향해 아래에서 누군가, 아니 종혁이 걸어올라왔다. 오택수, 최재수와 함께 말이다.

느긋이 걸어 올라와 거수경례를 한 종혁은 낮익은 옷차림을 한 앤디를 발견하고 눈살을 찡그렸다.

'옷 좀 갈아입지.'

고개를 저은 종혁은 앤디에게 걸어가 그 머리맡에 주저앉으며 앤드의 머리통을 두드렸다.

"야, 고개 들어 봐."

"……헉! 너, 너는? 너희는?"

"일단 가르시아가 곧 올 거거든? 물론 지금 너희가 이렇게 엎드린 것처럼 타의로."

"무, 무슨……! 대체 왜!"

종혁은 발뺌하려는 그를 향해 이를 드러냈다.

"왜긴. 묻고 싶은게 많으니까 그렇지. 그런데 우선 먼저 궁금한 게 하나 있는데……."

"뭐, 뭘……."

"혹시 이 사람 어디 사는지 아냐? 알면 살려는 줄게."

종혁은 사진을 보여 줬다.

훗날, 최종철이 중국으로 도주했다는 걸 알려 준 그 여성 직원의 사진이었다.

* * *

–와아아!

축구 경기가 흘러나오는 작은 TV만이 유일한 소음인 작은 집.

살금살금 거실로 내려온 작은 소녀가 거실 소파에서 뜨개질을 하다 잠든 할머니의 눈치를 보며 거실 서랍장 안에 숨겨진 철제 쿠키 상자에 손을 빼 든다.

달칵!

쿠키 대신 동전 몇 개가 담겨 있는 둥그런 상자.

소녀는 그 안에 10페소를 집어넣었다.

“히히.”

‘할머니 아침 약값.’

“티나.”

“힉!”

고개를 돌린 소녀는 하얗게 질렸다.

화가 잔뜩 난 얼굴로 노려보는 이십대 후반의 여성.

“어, 엄마!”

“너 또 꽃 팔았니? 내가 그런 위험한 짓은 하지 말랬지!”

지금이야 티나가 어리기에 다들 봐주는 편이지만, 계속 그들 구역에서 장사를 하고 돈을 번다면 그들은 결코 참지 않을 거다.

단 10페소에도 살인이 나는 보카 지구.

그녀는 눈앞이 아찔해졌다.

“아, 아니야! 애들하고 내기해서 딴 거야! 진짜야!”

“……뭘로 내기했는데?”

“축구! 알잖아! 내가 우리 동네에서 축구 제일 잘하는 거!”

여성은 필사적으로 변명하는 딸을 보며 입술을 깨물었다.

왜 거짓말을 하냐고 혼을 내고 싶다. 엉엉 울어도 뭘 잘했냐며 혼을 내고 싶다.

하지만 어제 딸 티나가 번 20페소로 약을 사지 않았다면 저기서 잠들어 있는 어머니는 정말 크게 아플 뻔했다.

그래서 더 혼낼 수가 없다.

'미안해. 엄마가 가난해서 미안해!'

그녀는 찢어지는 가슴을 애써 추스르며 손을 저었다.

"알았어. 어서 올라가서 자. 학교 가야지."

"……응!"

활짝 웃은 티나는 몸을 돌렸고, 여성은 다 해진 딸의 치마를 보며 다시 찢어지는 가슴을 추슬렀다.

'곧 월급날이니까 옷 한 벌 사 줘야겠…….'

그녀는 순간 드는 불길한 생각에 창백해졌다.

'이, 이번 달엔 월급을 주겠지? 그래, 줄 거야. 이번에 큰 건을 수주했다고 했잖아!'

그녀는 애써 희망을 가지며 불안을 다독였다.

그때였다.

쿵쿵쿵! 흠칫!

여성이나 계단을 올라가던 티나의 몸이 굳는다.

이 늦은 저녁에 여자 셋만 사는 집을 찾아올 사람이 누가 있을까.

티나에게 어서 올라가라고 손짓한 그녀는 문 옆에 놔둔 권총을 집어 들며 조심히 말했다.

"누군지 몰라도 내일 찾아와요!"

"경찰입니다. 문 좀 열어 주시죠."

"경찰?"

조심스럽게 문에 달린 렌즈로 밖을 본 그녀는 경악했다.

'겨, 경찰이 왜!'

그것도 검은색 옷을 입은 사신 수십 명이 그녀의 집을 감싸고 있었다.

웅성웅성.

여자 셋만 살기에 언제나 조용했던 집이 어수선해진다.

"이거 들면서 이야기해요."

"아, 아니요! 늦은 밤에 이렇게 찾아온 것도 죄송한데 이런 걸 주실 필요는……."

"우리 딸이 뭘 잘못한 건 아니죠?"

"중요한 사건 때문에 묻고 싶은 게 있을 뿐입니다. 걱정 마세요."

그럼 됐다며 푸근히 웃은 할머니는 부엌 찬장을 모두 털어 만든 차를 들고 집 밖에 대기하고 있는 사람들에게로 향했고, 그 모습을 일견한 종혁은 소파에 앉아 집 안을 둘러보다 계단 쪽에서 한 소녀와 눈이 마주쳤다.

"어라?"

"어? 어제 꽃 사준 아저씨다!"

"오?"

종혁은 인연이 이렇게 이어지나 싶었다.

잔뜩 움츠려 있던 여성도 화들짝 놀랐다.

"티나! 어서 올라가!"

"네……."

티나가 올라가자 여성은 차를 입에 가져가는 종혁을 떨리는 눈으로 응시했고, 그 시선을 알아차린 종혁은 싱긋 웃었다.

"동생이 참 예쁘네요."

"무슨 일이시죠? 혹시 저희를 놔두고 도망친 애 아빠와 관련된 이야기라면……."

'애 아빠. 딸이었나…….'

종혁은 최대한 사람 좋게 웃었다.

"아, 그건 아니고 카밀라 씨가 다니는 회사의 사장 브루노 최에 관해 몇 가지 묻고 싶은 게 있어서 이렇게 결례를 무릅쓰고 찾아온 겁니다."

움찔!

"사장님이요? 어? 그, 그러고 보니……."

"예. 저희 잠깐 스치듯 본 적 있죠?"

"사, 사장님은 당신을 동생이라고 했는데……."

동생이 온다고 한바탕 난리를 쳐서 잊을 수가 없다.

"동생은 무슨. 그런 사기꾼 형 둔 적 없습니다. 같은 성씨를 쓰는 먼 친척일 뿐입니다."

종혁은 코웃음을 쳤다.

"사, 사기꾼이요?! 사장님이요?"

종혁은 말을 얼버무리는 카밀라의 모습에 순간 눈을 빛냈다.

"짐작 가시는 게 있나 보군요."

"……없어요! 그러니 이만 나가 주세요!"

월급을 제때 주지 않는다고 해도 어떻게 잡은 직장이던가.

그녀는 의리를 택할 수밖에 없었다.

단호하게 밖을 가리키는 그녀의 손가락을 본 종혁은 차를 입에 가져갔다.

“브루노 최가 저지르려는 짓은 투자 사기라는 사기의 일종입니다. 투자자들을 끌어모아 거액의 투자금을 탈취하고 잠적하는 수법의 사기죠.”

“이봐요!”

“과연 그런 사기꾼이 도망칠 때 직원들에게 말하고 튈까요? 또 월급은요?”

움찔!

나가라고 소리치려고 했던 카밀라는 월급이란 말에 굳어 버렸다.

“이런 사기꾼들의 특징은 직원을 모집할 때 최대한 사정이 어렵고 힘든 사람을 채용한다는 겁니다. 쉽게 취직을 못하는 사람, 돈이 간절한 사람 등 자신이 인형처럼 쉽게 부릴 수 있는 사람을 채용하죠. 왜일까요?”

“반항을 할 수 없도록……?”

어느새 그녀는 종혁의 말에 빠져들고 있었다.

“시키는 것만 하는 사람을 모집하는 겁니다.”

그리고 내가 아니면 안 되게 만드는 거다. 정말 어렵고 힘들어 간절한 사람을 데려다가 족쇄를 채워 개처럼 부리는 거다. 이거 하라면 이거 하고, 저거 하라면 딱 저것만하게 만드는 거다.

‘개새끼!’

정작 개는 최종철 본인이면서.

"그리고 때가 되면 뭐……."

직원들에게 줄 월급까지 들고 나른다.

털썩!

카밀라는 의자 위로 무너졌다.

'아, 안 돼.'

그 월급이 어떤 돈이던가.

할머니의 약값이고, 딸의 학비이며, 꾸준히 모으면 여길 벗어날 수 있을 거라는 희망이다.

종혁은 이제 창백해져 버린 그녀의 얼굴을 보며 속으로 한숨을 내쉬었다.

그녀가 증언을 한 이유가 뭐였던가. 최종철이 월급을 다섯 달이나 주지 않은 상태에서 도망쳤기 때문이다.

그만큼 돈에 간절한 그녀.

"월급이 밀린 적 있습니까?"

있다. 지난 2년 동안 일하면서 무려 7번이나 밀렸다.

종혁은 표정으로 다 말하는 그녀에게 매를 들었다. 본인에게 족쇄가 채워진 것도 모르는 그녀로 하여금 현실을 깨닫게 할 매를.

"브루노 최란 사람, 참 명품을 좋아하죠?"

직원들 월급 줄 돈은 없으면서 명품은 무슨 돈으로 살까.

이런 물음에 카밀라는 애써 외면했던 현실과 마주하게 되었다.

'하, 하지만…….'

그럼에도 차마 입이 떨어지지 않았다. 최종철이 있기에

최소한 가족이 배는 곯지 않을 수 있었으니까.

종혁은 한숨을 내쉬고는 눈빛을 차갑게 가라앉혔다.

"이봐요. 당신도 부모잖아. 딸에게 부끄러운 엄마가 되고 싶은 겁니까? 범죄자를 옹호하고, 범죄를 돕고! 그런 엄마가 되고 싶은 겁니까?"

답답했다. 현실을 깨달았으면서도 최종철이 채운 족쇄를 벗지 못하는 그녀의 모습에 너무 화가 났다.

"나, 난……."

부모, 엄마라는 단어가 비수가 되어 심장에 박힌다.

"우리 엄마한테 화내지 마!"

"티나!"

"아저씨 나빠!"

종혁은 눈물이 가득한 눈으로 카밀라의 앞을 막아서는 티나와 그런 그녀를 꼭 끌어안는 카밀라의 모습에 이마를 잡았다.

"후우. 미안합니다. 저도 모르게 감정이 격해졌군요. 미안해, 티나. 아저씨가 무서웠지? 정말 미안해. 이렇게 진심으로 사과할게."

종혁은 그녀의 앞에 무릎을 꿇고 앉으며 머리에 손을 얹었다.

"……이제 화 안 낼 거야?"

"응. 그저 좀 답답했을 뿐이니까."

왜 피해자만 사람을 믿어야 하는가. 그게 답답했을 뿐이다.

"약속."

"약속."

종혁은 새끼손가락을 걸며 약속을 했고, 카밀라는 티나를 다독이며 계단으로 향했다.

"엄마, 저 아저씨가 또 화내면 내가 혼내 줄게. 알았지?"

카밀라는 엉덩이를 씰룩이며 성큼성큼 2층으로 올라가는 티나를 보며 입술을 깨물었다.

'카밀라, 대체 얼마나 못났으면 티나가 널 보호하니?'

엄마로서 실격이었다.

이를 악문 그녀는 이제 현실을 마주하기로 하며 종혁의 앞에 앉았다.

"당신의 말은 모두 알았어요. 하지만 난 그곳이 아니면 당장 내일 먹을 밥부터 걱정을 해야 돼요."

종혁은 단단하게 굳은 그녀의 눈빛을 보며 씩 웃었다.

"그건 내가 해결해 줄 수 있습니다."

"무슨……."

종혁은 백지수표를 내밀었다.

"1과 0 다섯 개를 쓰세요."

10만 달러. 지긋지긋한 이곳을 벗어나기에는 충분한 돈이다.

"아, 아니요! 이런 돈을 받을 순……."

"대신 하나만 알아봐 주시면 됩니다."

종혁은 그녀의 손을 꽉 잡았다.

"장부."

그게 어디에 있는지만 알면 된다.
"그럼 이게 당신의 것이 될 겁니다."
"……항구에 친구가 있어요. 그건 필요하지 않나요?"
종혁의 얼굴에 환한 미소가 걸렸다.

* * *

"짐을 쌀 거면 지금 싸는 게 좋을 겁니다. 오늘이라면 이 친구들이 도와줄 수 있으니까요."
아르헨티나 경찰특공대. 큰돈을 가지고 이사를 하려는 데 이보다 든든한 사람들이 있을까.
"아, 알았어요! 잠시만요! 티나! 엄마!"
종혁은 우당탕 안으로 들어가는 그녀를 일견하며 기지개를 쭉 폈다. 서늘한 밤공기가 긴장으로 딱딱하게 굳은 몸을 노곤하게 풀기 시작했다.
"후우. 죽갔구만?"
하마터면 악역이 될 뻔했는지라 더 힘이 빠진다.
그런 그에게 떨떠름한 눈을 한 오택수가 다가왔다.
"야, 너 진짜 정체가 뭐냐?"
최재수도 어리벙벙한 눈으로 종혁을 본다.
아르헨티나 경찰특공대로도 부족해, CIA에 SVR이다.
종혁은 그런 대단한 사람들을 동원한 거다.
2시간 전, 갈 데가 있다면서 자신들을 데리고 나온 종혁.
그리고 벌어진 게 지금 이 상황이다.

종혁은 궁금증과 의심이 가득한 둘의 시선에 어깨를 으쓱였다.

"그냥 친구가 많은 거라고 생각해 주세요."

"야, 이게 고작 친구 수준……."

"미스터 최."

"어라? 아직 안 가셨어요?"

종혁은 다가온 헨리 스미스를 보며 눈을 껌뻑였다.

'동아시아 담당이라면 엄청 바쁘지 않나?'

헨리 스미스는 그런 종혁의 모습에 형언할 수 없는 눈빛을 보냈다.

'자문료라더니…….'

고작 빈민가의 삼류 갱단을 소탕한 것뿐이다.

그 추측이 단 10퍼센트만 들어맞아도 미국으로선 엄청난 이득인데, 그런 걸 이런 하찮은 일에 팔아 버린 거다.

아니, 10퍼센트가 뭔가. 대화가 끝나자 한국으로 돌아가던 나탈리아는 종혁의 말을 100퍼센트 신뢰하고 있었다.

'이런 부류의 사람이란 건 알고 있었지만…….'

직접 보니 헛웃음만 나온다.

그렇기에 지금 하려는 결정에 후회가 들지 않는다.

헨리 스미스는 종혁을 향해 손을 내밀었다.

"갑작스런 말이지만, 미국도 당신의 친구가 될 수 있겠습니까?"

종혁은 강렬한 그의 눈빛에 피식 웃었다.

"친구는 거절하지 않는 주의죠. 최종혁입니다."
헨리 스미스는 굳세게 맞잡는 종혁의 손에 환한 미소를 지었다.
"앞으로 당신의 뒤에는 우리 미국도 있을 겁니다."
"이런. 그건 좀 부담스런 말인데요."
2008년에 거하게 털어먹어야 하는데 이런 말을 하면 마음이 약해진다.
"하하. 다음에 또 보죠."
"네. 조심히 가세요."
고개를 끄덕이며 돌아선 헨리 스미스는 한참을 걸어가다 핸드폰을 들었다.
"러시아가 최에게 뭘 얼마나 줬는지 조사해 봐. 뭐가 얼마나 깊게 연관되어 있는지도."
한발 늦게 맺은 인연이니 신뢰를 얻으려면 러시아보다 많을 걸 줘야 했다. 아니, 전 세계 그 어떤 국가보다 더 많이.
그게 미국의 방식이었다.
한편, 종혁은 멀어지는 헨리 스미스의 등을 보며 씩 웃었다.
'잘됐네.'
오늘 중국에 대해 말했는데, 마침 놈들이 도망친 곳이 중국이다.
여차하면 CIA의 도움도 얻을 수 있을 터.
'어디 세계 끝까지 도망가 봐. 내가 너힐 놓치나 보자.'

"나 방금 나누는 이야기 들었어. 설명 똑바로 해, 이 시키야!"

"아우. 배고프지 않아요? 쵸리판 먹을 사람?"

"야! 얼른 안 불어?!"

"어, 저기 가르시아 오네요! 헤이, 가르시아!"

"야! 야!"

종혁은 걸음을 재촉했다.

가르시아에게도 듣고 싶은 이야기가 참 많았다.

* * *

—걱정 마. 브루노. 내가 잘 돌릴 테니까! 오늘은 내 마피아 친구들에게 데려 갈 예정이야!

"푸하핫! 알았어. 너만 믿겠어, 가르시아. ……가르시아?"

—흠. 그러고 보면 브루노도 참 독해. 이 짭새 친척 아니야?

"흥. 친척이 밥을 먹여 줘, 옷을 사 줘? 재수 없게 그딴 건 왜 물어?"

—오우, 화났어? 하하하! 알았어. 돈이나 준비하라고, 친구!

전화를 끊은 최종철은 창밖을 보며 담배 연기를 길게 뿜었다.

"……그렇지. 친척이 밥을 먹여 주진 않지."

그건 한국에서 하던 사업이 망해 아르헨티나까지 넘어올 수밖에 없었던 그가 가장 잘 안다.

그 잘난 경주 최씨 충렬공파가 작은 도움이라도 줬으면 사업이 그렇게 망했을까.

"아버지 도움이 필요할 땐 그렇게 사정해 놓고, 내가 어려우니까 뭐? 그깟 50억이 어려워? 어려웠냐고! 이 개새끼들아!"

야반도주를 하듯 아르헨티나에서 와서 재기했다면 차라리 잊었을지 모른다.

하지만 아르헨티나에서 그를 맞이한 건 통하지 않는 언어와 문화, 넘치는 사기꾼이었다.

그는 실패하고, 또 실패했다.

아버지 명의의 땅까지 모두 팔면서까지 아득바득 긁어모았던 돈은 아르헨티나에 온 지 고작 6년 만에 밑바닥을 드러냈다.

정말 마지막이라며 무역회사 아이언 루카를 차렸는데, 수출 활황이 터지는 것과 달리 그는 파리만 날렸다.

이러단 한국으로 돌아갈 비행기값마저 없어질 상황.

그래서 이 사기를 계획한 거다.

즉, 이건 정당한 복수였다.

"암, 정당하고말고. 흐흐. 그때 날 외면한 값을 톡톡히 치르게 될 거야. 어디 나처럼 모두 길바닥에 나앉아 보라고."

최종철은 훗날의 그 모습을 떠올리며 실실 웃었다.

그때였다.

똑똑!

"누구야!"

누구냐 물었지만, 대답은 문이 열리는 것으로 대신했다.

최종철은 문 안으로 들어오는 낯익은 물건에 의아해했다.

"어? 총? 권총이 왜……."

"엎드려! 엎드리라고!"

"히, 히익?! 쏘, 쏘지 마세요!"

경찰이다. 무슨 오해가 있는지 모르지만, 최종철은 일단 엎드리고 봤다. 아르헨티나에서 함부로 경찰에 반항했다가는 총을 맞아 죽을 수도 있기 때문이다.

한 경찰은 그런 최종철의 등을 누르며 제압했고, 뒤이어 들어온 경찰들이 최종철의 사무실을 뒤지기 시작했다.

그러다…….

"찾았습니다! 여기 있습니다!"

'대, 대체 뭘?!'

뭘 알아야 변명이라도 할 테지만, 지금 고개를 들었다간 머리에 구멍이 뚫릴 수도 있기에 최종철은 숨을 죽였다.

뚜벅뚜벅.

그런 그의 귀로 누군가 사무실 안으로 걸어 들어오는 소리가 들렸다.

그리고 들려오는 종이 넘기는 소리.

사락사락!

“풋. 맞네, 이중장부. 이야, 뭐 하나 들어맞는 게 하나 없냐?”

‘헉? 한국어?’

한국어보다, 낯익은 목소리보다 더 신경 쓰이는 단어. 이중장부.

최종철은 자신도 모르게 고개를 들었다가 경악했다.

“도, 동생?”

“동생은 니미. 어디 사기꾼 새끼가. 확, 씨발.”

침을 뱉은 종혁은 엎어진 그의 팔을 잡아 꺾어 수갑을 채웠다.

“최종철 씨, 당신을 사기 혐의로 체포합니다. 당신은 묵비권을 행사할 수 있고…….”

“도, 동생! 지금 이게 무슨 짓…….”

쩍!

‘어?’

고개가 돌아간 최종철은 순간 혼이 나갔다.

종혁은 그런 그의 턱을 잡아 돌린 다음 그 눈을 마주하며 입을 열었다.

“야. 아르헨티나 감옥 갈래, 아님 한국 감옥 갈래? 참고로 우린 네가 구라로 만든 거래처 명단까지 다 따 놓은 상태다.”

“도, 동생…….”

“예, 아니요. 개새끼야.”

"……예."

고개를 끄덕인 종혁은 미란다 원칙을 이어 갔다.

그렇게 모두 자신의 잘못에서 비롯됐으면서도 엄한 사람들에게 복수심을 불태우던 최종철은 체포가 되었다.

4장. 내 자동차는 어디에

내 자동차는 어디에

부에노스아이레스의 국제공항.

"읍! 읍!"

하도 동생, 동생 지껄이기에 입에 재갈을 물려 놓은 최종철의 뒷목을 움켜쥔 종혁은 옆에서 구시렁거리는 최재수를 보며 의아해했다.

"쟤 왜 저래요?"

"너가 쓴 돈이 아깝다고."

"엥? 이제 비키니 미녀랑 못 놀아서가 아니라요?"

"뭐 그것도 있겠지. 그런데 솔직히 나도 좀 아깝긴 하다. 그 카밀라 모녀에게 준 1억."

카밀라네 세 가족은 그 돈으로 치안 좋은 곳에 집을 얻는 것도 모자라, 관광객들을 대상으로 한 꽃집까지 열기로 했다.

종혁이 준 돈은 그만큼 큰돈이었다.

"아깝기는 무슨……."

어차피 나갔을 돈이다.

가르시아의 눈을 돌리고, 아이언 루카 직원들 회유하고, 거래처와 항구 직원 등 여러 사람 회유에 들었을 돈에 체류하며 쓸 비용까지 생각하면 오히려 싸다고 볼 수 있다.

이런 종혁의 말에 오택수는 입을 뻐끔거렸다.

"……그래. 네 똥 굵다, 새끼야."

"흐흐. 원래 이렇게 팍팍 써야 양질의 정보를 얻는 거 알면서."

"알았다고. 네 똥 굵다고. 나중에 돈이나 내놔. 알았어?"

"예, 충성. 자, 그럼 들어 갑시…… 음?"

종혁은 바로 앞에 멈춰 서는 검은색 차량에 고개를 모로 기울였다가 이내 차에서 내리는 사람을 보곤 피식 웃었다.

CIA의 린치 요원이었다.

"이봐, 다음엔 다를 거야. 내가 어떻게든 그 뻣뻣한 목을 꺾어 버릴 테니까!"

"……그 말 하려고 온 겁니까?"

'이 양반 근성 있네.'

하지만 그렇다고 도발하러 온 사람에게 좋은 말을 해주기엔 그의 성격이 용납지 않았다.

"글쎄요. 그건 지켜봐야 알겠죠? 다음에도 부탁해용, 린치 요원."

"이런 개……!"

"그럼 나중에 또 봅시다. 바이바이!"

종혁은 다시 최종철을 틀어쥐며 공항 안으로 들어갔고, 이를 뿌드득 간 린치는 쿵쿵 발을 구르다 차에 올랐다.

갑자기 불어왔던 자연재해도 사라졌으니 이제 다시 업무에 매진할 시간이었다. 다시 팀장으로서, 왕으로서 말이다.

발레리 등 SVR만 제외하면 이제 방해할 사람이 없는 이곳에선 린치 그가 왕이었다.

"흐흐. 발레리 그놈을 어떻게 쫓아내야……."

띠리링! 띠리링!

"예. 린치입니다."

-린치 요원? 본사로 복귀하라는 명령입니다.

"예? 하, 하지만 난 아직 할 일이……."

뚝!

왜라는 의문은 의미가 없다. 그런 걸 세심하게 알려 줄 조직이 아니니까.

다만 한 가지는 알 수 있었다.

이제 다시 병사로 돌아가야 할 시간이라는 것이었다.

"……FUCK-!"

린치의 울부짖음이 국제공항을 꿰뚫었다.

* * *

“최종철-!”

“어?”

“우와.”

사람이 난다. 그것도 대한민국 수십만 경찰의 정점인 경찰청장이 날아 이단옆차기를 날린다.

빠아악!

“어이쿠!”

‘브라보.’

짝짝짝!

종혁과 오택수는 박수를 칠 수밖에 없었고, 최재수는 그대로 얼어 버렸다.

“네가! 그러고도! 사람이냐! 어떻게! 친척한테 그런 짓을! 할 수가 있어!”

“악! 아저씨! 아악! 그, 그게…….”

“닥쳐, 이 개새끼야! 누가 네 아저씨야!”

왕년의 가락을 자랑하듯 이곳저곳 안 밟는 곳이 없을 만큼 잘근잘근 밟는 최기룡 경찰청장.

종혁과 오택수는 서로를 봤다.

‘말리죠?’

‘응. 가자.’

둘은 경찰청장을 향해 몸을 날렸다.

"에헤이, 청장님!"

"여기 로비입니다. 패도 올라가서 패세요! 자자, 진정하시고."

"종혁아…… 정말 네 덕분에, 네가 아니었으면……."

종혁이 냄새를 맡지 않았으면 얼마나 큰 피해를 봤을까.

종혁은 충렬공파 전체를 구한 거다. 최기룡 본인까지도 말이다.

"예, 예. 알겠으니까 일단 올라가세요. 직원들이 보고 있잖아요."

최재수를 비롯해 로비에 자리하고 있던 경찰들은 언제나 점잖던 최기룡의 거친 푸닥거리를 보고 얼어붙어 있었다.

그제야 정신을 차린 최기룡은 신색을 가다듬었다.

"허흠. 최 경위."

"경위 최종혁."

"그 씹어 먹어도 시원찮을 개새끼 데리고 올라와. 내가 직접 취조할 테니까!"

'……와우.'

최종철은 이제 진짜 죽었다고 봐야 했다.

종혁은 넝마가 되어 버린 최종철을 일으켜 세우며 앞서가는 최기룡의 뒤를 쫓았다.

그렇게 일명 최종철 투자 사기 사건이 모두 마무리되었다.

"정말 한잔 안 할 거야?"

최종철을 잡아 왔다지만, 공식적으론 오늘까지 휴가다.

종혁은 아쉬워하는 오택수의 어깨를 잡으며 풋풋하게 웃었다.

"지금부터라도 부부 관계 개선하고 싶으면, 그거 가지고 집에 들어가셔서 오늘 하루 봉사하세요."

종혁은 공항에서 사게 한 지갑을 가리켰다.

며칠 만에 집에 들어가는데, 그것도 해외에 다녀왔는데도 빈손으로 들어가려던 미친 인간 오택수.

"야, 나 내 마누라랑 사이좋거든? 죽고 못 살거든?"

"개소리 마시고요. 경찰이랑 경찰 마누라 관계가 어떻게 좋을 수 있어요. 그냥 의리로 사는 거지."

"……씨발. 찌개에 쐬주가 땡기는데."

"그건 내일 드시고요. 최 순경도 집에 가면 할머님께 봉사해. 오늘 하루 레스토랑 같은 곳에도 가고, 어?"

부모님 없이 할머니와 같이 사는 최재수.

"우리 할머니 그런 거 안 좋아하는데……."

"너도 개소리하지 마. 여자는 다 똑같아. 네가 부담될까 봐 차마 부탁을 못 하시는 거지."

"……."

종혁은 입을 다문 두 멍청이의 어깨를 두드리곤 차에 올랐다.

"그럼 내일 웃으며 봅시다!"

종혁은 그렇게 집을 향해 차를 몰았다.

점심때라서 그런지 차가 막힘없이 나아가는 도로.

종혁은 보조석에 둔 종이백 세 개를 보며 콧노래를 불렀다.

"오늘은 엄마만 데리고 외식을 하러 갈……."

-서울과 경기도에서 이십대 여성들의 실종이 급증하고…….

종혁은 라디오에서 흘러나오는 뉴스에 낯빛을 굳혔다.

회귀 전에도 이맘때 갑자기 아무런 징조도 없이 급증했던 이십대 여성 실종 신고.

혹여 섬으로 팔려 간 건 아닐까, 장기 적출을 당한 건 아닐까 경찰들이 전국을 이 잡듯 뒤졌지만 끝내 아무런 단서도 잡지 못했다.

그에 결국 경찰은 우연이 겹쳐져 실종자가 급증했을 뿐, 단순 실종인 것으로 결론을 내렸다.

'윤영철 이 새끼가 한 짓인가 싶었지만 아니었지.'

채팅 연쇄 살인마, 윤영철.

종혁은 그가 벌인 일은 아니었을까 예상했지만, 이놈은 해당 사건과는 아무런 연관이 없었다.

'정말 우연인 걸까.'

이번에는 회귀 전과 달리 곳곳에 CCTV까지 설치되었음에도 아직까지 실종자들에 대한 별다른 단서를 발견하지 못했다.

하지만 어째서일까. 마음 한편에 남아 있는 찝찝함을 지울 수 없는 건.

잠시 생각에 잠겼던 종혁은 핸드폰을 들었다.

"납니다. 그 여성들에겐 문제없습니까?"

실종자들 가운데 종혁이 기억하는 몇 명의 여성들. 그는 흥신소에게 부탁해 그녀들에게 감시를 붙여 놓은 상황이었다.

-예. 아직까진 별문제 없습니다.

"알겠습니다. 계속 감시해 주세요."

전화를 끊은 종혁은 한숨을 내쉬었다.

"내일 대판 깨지겠네."

이유가 어떻든 뉴스를 탔다.

오늘은 든든한 아군이었던 최기룡 청장이 내일은 악마로 돌변할 거다.

"그냥 내일도 출근하지 말……."

-지치고 힘들 땐 내게 기대!

무려 DMB를 지원하는 핸드폰에서 노래 벨소리가 흘러나온다.

"어?"

발신자를 확인한 종혁은 환하게 웃었다.

마침 신호 때문에 정지한 종혁은 얼른 전화를 받았다.

"할머니!"

종가의 할머니다.

-최 청장에게 말 들었다. 그게 정말이니?

"……어이구."

'그걸 또 왜 말하셨대.'

—고맙다. 정말 고마워. 정말 종혁이 네가 아니었으면…….

종혁은 물기가 서린 그녀의 음성에 한숨을 폭 내쉬었다.

'아, 신호다.'

깜빡이를 켠 종혁은 핸들을 돌리며 액셀을 밟았다.

"할머니, 저 지금 운전 중이거든요? 이따가 다시 연락드릴…… 어?"

정말 찰나에 벌어진 일이었다.

쿠웅!

접촉 사고가 일어난 건 말이다.

직진 차선의 차량이 갑자기 우회전에 끼어들며 대각선에서 뒷자석 쪽을 들이받은 사고.

'씨발?'

"이따가 다시 연락드릴게요!"

—으응. 그래. 그렇게 하렴. 정말 고맙다. 고마워.

"아니에요!"

다급히 통화를 종료한 종혁은 곧바로 차에서 내렸다.

"염병. 지랄 났네."

그래도 공업사에 들어갈 수준은 아니다.

무시해도 될 법한 경미한 접촉 사고.

일단 핸드폰으로 사진부터 찍은 종혁은 옆 차에서 슬그머니 내리는 이십대 남성을 보며 얼굴을 구겼다.

"아니, 왜 직진 차선에서 우회전을 합니까!"

"죄, 죄송합니다! 정말 죄송합니다! 제, 제가 초보라서!"

창백한 얼굴로 연신 허리를 숙이는 왜소한 체구의 남성.

이제 군대나 다녀왔을까. 아니, 빡빡머리를 보니 아직 복무 중일지도 몰랐다.

순간 수호가 떠오른 종혁은 마음이 약해지는 걸 느꼈다.

"하아…… 됐습니다. 그냥 가세요."

"아, 아뇨! 그래도 수리는 하셔야죠!"

"수리는 무슨."

부분 도색만 하면 될 수준이다.

"아니요! 그럴 순 없죠! ……나중에 신고하실 수도 있으니까."

종혁은 그의 기어 들어가는 말에 어이없다는 듯 웃었다.

빵! 빵빵!

"야, 이 씨발! 도로 전세 냈냐!"

"차 빼, 이 새끼들아!"

"……하아. 그럽시다. 그래요. 일단 갓길로 옮깁시다."

'지가 알아서 돈을 쓰겠다는데, 뭐.'

결국 종혁은 사내가 잘 안다는 근처 공업소에 차를 맡길 수밖에 없었다.

"됐죠? 이제 안심하세요?"

"죄, 죄송합니다. 선생님께서 타신 차가 너무 고가라서 제 벌이로는……."

"예. 이해합니다."

확실히 90년대식 승용차나 어수룩한 옷차림을 보면 충

분히 이해가 된다. 이젠 중고차 시장에서도 발견하기 힘든 엘란트라.

'아마 부모님께 물려받은 거겠지. 아니면 부모님 차거나.'

고개를 저은 종혁은 공업사 직원을 보기 위해 몸을 돌리다 낯익은 뒤통수를 발견하고 의아해했다.

"어라?"

종혁의 목소리가 커서인지 고개를 돌렸던 이십대 후반 사내도 화들짝 놀랐다.

"건물주 아드님?"

"707호 형님?"

정혁빌딩 707호에 사는 입주민인데, 작은 PC방을 운영중인 걸로 알고 있다.

"와, 이게 무슨 우연이래요? 여긴 어쩐 일이세요?"

"요 앞에서 접촉 사고가 나서요."

"헉. 이번에 큰맘 먹고 차 바꿨다고 하지 않았어요? 아, 저게 그 차구나."

BMW 재작년 모델.

"아드님은요?"

"저도 사고가 나서……."

종혁은 말을 하다가 눈을 껌뻑였다.

우연도 이런 우연이 있을까.

둘은 서로를 보며 실소를 터트렸다.

'그 사거리가 사고 다발 지역이었나?'

"그럼 그 옆에 계시는 아저씨가?"
"예."
"에고. 힘내십시오. 아, 집에 가시는 길이면 같이 가실래요? 택시비는 뿜빠이로."
"그럴까요?"
씩 웃은 종혁은 공업사 직원을 봤다.
"얼마나 걸리겠습니까?"
"내일까지 말끔하게 끝내 놓겠습니다!"
"몇 번 문지르면 끝일 텐데 그렇게 오래 걸립니까?"
"하하. 원래 도색이라는 게 마르는 시간도 있어서요. 감쪽같이 해 놓을 테니 맡겨만 주십시오! 아, 그리고 만 원만 주시면 댁까지 모셔다 드리는데……."
종혁은 대답 대신 2만 원과 차키를 내밀었다.
"여기 공업사 서비스 좋네요. 저 형님 것도 같이 해 주세요."
"아, 아니!"
"입주민 서비스입니다."
707호 청년은 고맙다는 표정을 지었고, 직원은 환하게 웃으며 2만 원을 받아 들었다.
종혁은 사고를 낸 청년을 봤다.
"앞으론 잘 살피면서 다니세요."
"죄, 죄송합니다. 그리고 감사합니다!"
손을 저은 종혁은 공항에서 산 선물을 챙겨 들고는 707호와 도로로 향했다.

'아, 나 방금 꼰대 같지 않았나? 음…….'

종혁은 도로를 향해 손을 흔들었다.

"택시-!"

그렇게 종혁의 하루도 저물어 가고 있었다.

* * *

역시나 다음 날, 본청에 있는 수사과 대장들은 청장실로 불려 가 조인트를 까이고 왔다.

그리고 당연하게도 내리갈굼이 시작됐다.

하지만 그보다 신경 쓰이는 건 이맘때 일어났어야 하는데도 아직 일어나지 않은 한 사건이었다.

한 연예인의 자살.

전국을 떠들썩하게 만들면서 연예인 스폰서에 대한 추악한 면모를 드러내게 만든 사건이다.

그런 그녀에게 감시를 붙였지만, 아직까지 별다른 일은 없었다.

"흠. 삼성클럽을 일망타진해서 일어난 나비효과려나?"

정말 그렇다면 너무나 다행이었다.

'이런 나비효과라면 언제든 환영이지.'

종혁은 미소를 지으며 집 안으로 들어갔다.

"다녀왔습니다!"

"왔니? 밥은?"

"먹었어요. 엄마는요? 별일은 없었고요?"

"시간이 몇 신데 당연히 먹었지. 별일도 없었고."
종혁은 고개를 끄덕였다.
벌써 저녁 8시. 오늘도 정시 퇴근은 없었다.
"철이랑 희야는요?"
"희야는 애들이랑 논다며 놀이터 갔고, 철이는 잠시 뭐 좀 살 게 있다고 밖에 나갔어."
"알았어요. 그럼 전 씻고 올게요."
"커피 타 줄까?"
"커피 말고 바나나 주스! 감사합니다! 아, 엄마. 종가 할머님이 언제 한번 같이 내려오래요. 맛있는 거 해 주신다고. 좋은 분이니까 생각해 봐요."
고정숙은 귀찮다는 듯 손을 저었고, 저게 반쯤 허락인 걸 알고 있는 종혁은 피식 웃으며 화장실로 들어갔다.

"오빠!"
호다닥! 폴짝!
"어이쿠!"
거실 소파에 앉아 있다가 전속력으로 달려온 순희가 몸을 날리자 얼른 받아 든 종혁.
"오늘 또 늦었습네다. 순희가 보고 싶지 않았습네까?"
이래서 딸을 낳아야 한다는 것 같다.
종혁은 가슴팍에 얼굴을 비비며 서운함을 드러내는 순희의 애교에 오늘 하루의 피로가 사르르 녹는 걸 느꼈다.
"엄청 보고 싶었지. 우리 희야 너무너무 보고 싶었지!"

쪽쪽쪽쪽쪽!

위로 올려다보는 그 서운한 눈망울에 종혁은 결국 뽀뽀 세례를 날렸고.

"꺄르르르르!"

"저 정신 나간 애미나이."

순철은 잔망스런 동생의 모습에 고개를 저었다.

고정숙도 묘한 표정을 지었다.

참 흐뭇한 광경이지만, 부모로선 마냥 흐뭇할 수 없는 모습.

'재도 결혼할 때가 됐나…….'

세월 참 빠르다 싶었다.

종혁은 그런 고정숙의 속내를 알아차렸지만, 모르는 척 소파에 앉아 바나나 주스를 쭉 빨았다.

"오빠 이것도 드셔 보시라요. 순희가 잘랐시오."

"그래? 어이구. 희야가 잘라서 더 맛있는데? 놈놈놈."

"꺄르르!"

"얼른 안 내려오네? 형님 힘들게 뭔 짓이네!"

"오빠, 힘듭니까?"

"그냥 철이가 질투하는 거야."

"아, 아닙네다!"

"……에효. 그런 거라면 말하지 그랬시오. 이거나 처드시라요."

"아, 아니! 읍?!"

결국 과일 한 조각이 입에 박힌 순철은 불퉁한 얼굴로 턱을 움직였고, 종혁은 킬킬 웃다가 고개를 모로 기울였다.

"근데 그건 뭐냐? 4월에 있을 검정고시 예상 문제 뽑은 거야?"

종혁은 순철의 옆에 놓인 A4 뭉치를 가리켰다.

"아, 아무것도 아닙네다!"

"음? 뭔데. 줘 봐."

"저, 정말 아무것도…… 앗!"

뺏듯 가져온 종혁은 피식 웃었다.

운전면허 예상 문제집이었다.

"뭐야. 차 사려고?"

"그, 그거이……."

"설마 여자친구 생겼어?"

"무, 무슨! 그거이 아니라!"

순철은 어느새 몰린 시선들에 한숨을 폭 내쉬었다.

"후. 저희 남매가 형님과 아주마이에게 신세를 많이 지잖습네까. 그래서 형님 안 계실 때 아주마이가 혹시 필요하지 않을까 해서……."

종혁과 고정숙은 쑥스럽다는 듯 머리를 긁는 순철의 모습에 가슴이 뭉클해졌다.

"들었니? 좀 배우렴."

"이렇게 변화구가 들어온다고?"

"셔럽."

억울해한 종혁은 둘의 대화에 안절부절못하는 순철의 머리를 쓰다듬었다.

"그렇게 말해 줘서 고맙네. 그럼 앞으로 우리 엄마 부탁할게."

"그, 그거이……."

"좋아! 그럼 우리 기특한 철이를 위해 선물을 줘 볼까?"

"예? 아, 아니……."

"따라와, 인마."

종혁은 순철의 어깨를 치며 일어나 지하주차장 2층으로 향했다.

"어, 어둡습네다."

"기다려 봐."

종혁은 손을 더듬어 스위치를 켰다.

그러자…….

파바바바방!

불이 켜지면서 드러난 온갖 명품 차들의 향연.

"와아!"

"……이, 이거이 다 뭡네까?"

"뭐긴. 다 형 차들이지. 아무거나 골라잡아!"

"예에?!"

순철은 무척이나 부담스러워했지만, 거듭된 재촉에 어쩔 수 없이 차를 고를 수밖에 없었다.

그래도 남자는 남자인 듯 온갖 차들의 아름다운 자태에 순철은 정신을 차리지 못했다.

그러다…….

"형님, 원래 이 자리엔 차가 없습네까?"
"응?"
고개를 돌린 종혁은 눈을 깜빡였다.
줄줄이 서 있는 차와 차 사이의 빈 주차 공간.
"아, 맞네. 저거 안 가져다 놨네."
어제 공업사에서 지하 1층에 주차시켜 놨다고 말한 차가 있어야 할 공간이다. 깜빡 잊었던 종혁은 생각난 김에 가져오기로 했다.
"난 차 가져올 테니까 고르고 있어."
종혁은 위층으로 향했다.
"아, 저기 있…… 아씨, 깜짝아!"
종혁은 빈 주차 공간에 쪼그려 앉아 있는 707호를 보곤 의아해했다.
"거기서 뭐하세요?"
"……제 차 찾아요."
"엥?"
"없어졌어요, 제 차가. 어젯밤까지 분명 있었는데……."
방금 전 저녁 타임 근무를 위해 출근을 하려고 내려왔다가 차가 사라진 걸 알게 된 거다.
남은 거라곤 바닥에 떨어져 있는 차키 하나뿐.
"신고는 했어요? CCTV는요?"
금방이라도 울 듯 울상을 짓던 707호는 눈을 껌뻑였다.
"CCTV요?"
"저거요."

"……!"

"일단 CCTV부터 확인하죠."

종혁은 그를 데리고 관리실로 향했다.

그리고.

"예. 차량 도난 신고를 하려는데요."

* * *

시간대는 저녁 11시.

계단을 통해 지하로 내려온 남자 두 명이 한쪽으로 향한다.

다시 봐도 걸음걸이가 참 여유롭고 자연스럽다.

그렇게 707호의 BMW 앞에 선 둘은 어딘가를 가리키며 잠시 대화를 나누다가, 이내 마치 자신들의 차인 것처럼 운전석의 문을 열고 올라타 차를 출발시켰다.

"이 새끼들 봐라?"

그냥 봐도 한두 번 해 본 솜씨가 아니다.

'일단 차문을 강제로 딴 게 아니야.'

그러기에는 차에 올라타기까지 걸린 시간이 너무 빨랐고, 경보음이 울리지 않았다. 예비키가 있단 소리다.

종혁은 경찰에게 상황을 설명하는 707호에게 다가갔다.

"형님, 혹시 누구에게 차키 맡긴 적 있어요? 부모님이라든가, 친구라든가, 여자친구라든가."

707호는 고개를 저었다.
"예비키도 모두 제가 가지고 있는걸요."
"흠. 그래요……."
'그럼 어떻게 차키를 복사한 거지?'
707호 차가 어떻게 거기에 주차되어 있는지 알았는지도 의문이다. 순간 한 곳이 떠오르긴 했지만, 이내 머릿속에서 지워 버렸다.
'정말 그놈들이라면 내 차도 뽀려 갔…… 아니, 방금 그 새끼들이 가리킨 곳에 내 차가 있긴 했는데…….'
눈을 가늘게 뜨던 종혁은 아차 했다.
"아."
종혁은 자신을 의아하게 쳐다보는 두 경찰을 향해 지갑 속 경찰공무원증을 보여 줬다.
"본청 특수범죄수사과의 최종혁 경위입니다."
"헉! 추, 충성!"
갑작스런 중간 간부의 등장에 경찰들의 정신이 번쩍 든다.
"이번 사건 잘 좀 부탁드립니다."
"예, 예!"
종혁은 707호의 어깨를 두드렸다.
"이분들이 잘 해결해 주실 거예요. 곧 찾을 테니까 너무 염려 마세요."
"후우. 네, 그러길 바라야죠. 하아."
그 차가 어떤 차인지 알기에 어색하게 웃은 종혁은 낮

빛이 어두운 정혁빌딩 관리인에게로 향했다.

"죄, 죄송합니다. 제가 감시를 잘했다면……."

종혁은 고개를 저었다.

눈앞의 관리인은 어머니 고정숙을 보호하기 위해 SVR에서 파견 된 요원이다.

즉, 이들은 어디까지나 고정숙의 신변 보호만 잘하면 됐다. 다른 입주민의 일까지 신경 쓸 이유는 없었다.

"잘해 주고 있으니까 너무 걱정 마세요. 정 신경 쓰이면 몇 명 더 데려와도 좋고요. 아니, 이참에 아예 관리 사무실을 확장하도록 하죠."

그동안 사적인 공간에 침범할 수는 없다며 바깥에서 경호를 하던 SVR 요원들. 그냥 이참에 아예 정혁빌딩 안으로 들이는 것도 나쁘지 않을 듯했다.

"……예, 그러겠습니다."

아무리 고정숙만 보호하면 된다지만, 자신이 감시하고 있던 곳에서 차가 도난당했다는 것에 자존심이 상한 건지 이를 악무는 그의 모습에 종혁은 고개를 저었다.

그러곤 돌아섰다.

더 이상 자신이 할 일은 없었기 때문이다.

"에고. 먼저 올라가라니까."

"형님 집에 이런 일이 생겼는데 제가 어찌 그럽니까?"

"고집도 참……."

씩 웃은 순철은 이내 낯빛을 굳히며 목소리를 낮췄다.

"제가 한번 알아봐도 되겠습……."

따악!

딱밤을 맞은 순철의 부릅뜬 눈이 의문을 머금는다.

"한국에서 해킹은 범죄다. 그리고 너 그런 거 하라고 데려온 거 아니야."

"하지만……."

"씁!"

순철은 시무룩 어깨를 늘어트렸고, 종혁은 그런 그의 머리를 쓰다듬었다.

"올라가자. 늦었다. 그럼 수고하십시오."

"옛! 충성!"

종혁은 순철의 등을 떠밀며 집으로 올라갔다.

* * *

다음 날 아침, 출근을 한 종혁은 자리에 사건 파일이 잔뜩 쌓인 최재수의 자리를 보고 피식 웃었다.

"최 순경 아직도 첫 사건 못 정했어요?"

"몰라. 대체 뭘 얼마나 대단할 걸 다루려는지……."

어젠 장기 미제 사건도 살폈다고 한다.

"제발 자기 주제에 맞는 걸 고르면 좋으련만……."

차라리 이거 하라고 강요하면 속이 시원하겠지만 그럴 수가 없다. 그래서도 안 된다.

형사로서의 첫 사건은 오직 형사 개인의 결정.

절대 누구의 강요에 의해 정해지면 안 되는 게 형사들

사이의 암묵적인 룰이다.

"엇, 충성. 출근하셨습니까."

양반은 아닌 듯 입에 뭘 묻힌 채 탕비실에서 걸어 나오는 최재수를 향해 손을 흔든 종혁은 그를 지나쳐 탕비실로 향했다.

그리고 커피와 간단히 씹을 걸 가져온 뒤 컴퓨터를 켜서 차량 도난과 관련된 신고 내역 목록을 살폈다.

관할서에 맡기려고 했지만 걸리는 점이 있었기 때문이었다.

그렇게 얼마나 살폈을까.

갑자기 종혁의 입꼬리가 비틀어졌다.

"이것 봐라?"

"왜? 뭔데?"

최재수가 언제 첫 사건을 선택할지 모르기에 사건을 맡지 않아서 여유만만이던 오택수가 종혁의 중얼거림에 반응한다.

"어제 저희 건물에서 차량 도난이 발생했거든요?"

종혁은 사정을 설명했다.

"꾼이네?"

2초 만에 차 문을 열고 5초 만에 사라진다.

누가 봐도 꾼이다.

"네. 저도 그렇게 판단했고요. 그런데…… 낯익은 얼굴들이 보이네요?"

종혁은 사건 파일에 첨부된 CCTV나 블랙박스 영상에

찍힌 범인들을 가리켰다.

어제 확인한 그놈들이었다.

"그것도 3번이나 똑같은 얼굴이."

모자나 마스크를 쓴 사진도 있다지만, 어찌 형사의 눈을 비켜 갈 수 있을까.

거기다 도난 신고가 된 차량 전부가 외제차다.

오택수는 묘한 공통분모에 허리를 세웠다.

"이 새끼들, 대포차 조직인가?"

"아무래도 그런 것 같죠?"

이리 보고 저리 생각해 봐도 외제차만 전문으로 다루는 대포차 조직이 저지른 범행이다.

종혁은 이 시기 암약하던 대포차 조직 대가리들의 얼굴을 주욱 떠올려 봤다.

'분명 이 새끼들 중에 있을 텐데…….'

"야, 어떡할래? 이거 파 볼 거냐? 안 파 볼 거면 나 줘 봐."

아르헨티아에 다녀온 그날, 면세점에서 산 지갑을 건네자 그것을 꼭 끌어안으며 연애할 때처럼 웃던 아내의 모습.

그 모습을 보자 오택수는 그동안 자신이 참 무심했다는 걸 깨달았고, 저 미소를 계속 보고 싶다는 욕심을 가지게 됐다.

그런데 그러기 위해선 보너스가 필요했다. 깜짝 선물을 살 수 있는 보너스가.

이런 조직 사건이라면 보너스를 제법 받을 수 있을 터!

"으잉? 어차피 오 경위님과 저는 파트너라……."

텅!

둘은 책상을 치며 일어나는 최재수의 행동에 입을 다물었다.

"좋아요! 저 정했습니다! 첫 사건!"

그 외침에 아침부터 바쁘던 형사들까지 모두 최재수를 응시하고, 김종두 과장이 흥미진진한 눈빛을 지으며 다가온다.

"뭔데? 어떤 사건인데?"

"서울경기 이십대 여성 실종 사건을 맡고 싶습니다!"

"……엉?"

"야, 씨발! 너 미쳤냐-!"

가장 먼저 정신을 차린 오택수의 외침이 특수범죄수사과 사무실에 울려 퍼졌다.

"최 순경, 아니 재수야. 이건 아니야. 이거 연관점도 없는 사건이잖아."

"자, 우리 재수 착하지? 그래, 그래. 옳지. 그 기획서 놓자?"

"목마르지? 형이랑 술 마시러 갈래? 술은 원래 아침술이야."

제아무리 형사로서의 첫 사건이 형사 개인의 결정이라지만 정도가 있는 법이다.

그러나 모든 특수범죄수사과 형사들의 만류에도 불구하고 최재수는 요지부동이었다.

"싫습니다. 꼭 하고 싶습니다."

"아니, 왜?"

'최 경위님의 첫 사건이 쓰레기 만두 파동이었으니까요!'

형사로서의 첫 사건에서 특별수사대책본부의 제1부본부장을 맡은 것도 모자라, 방송사마저 무릎 꿇린 종혁.

'나라고 못할 건 뭐야?'

물론 입 밖으로 꺼냈다간 뭔 소리와 어떤 시선을 받을 줄 알고 있기에 최재수는 입을 꾹 다물었다.

"……와, 암 걸리겠네."

"야, 놔 봐. 내가 저 새끼 죽이고 깜빵 간다. 아, 좀 놔 보라고!"

험악해지는 분위기에 종혁은 최재수를 향해 입을 열었다.

"어떻게든 하고 싶다는 거지?"

"예! 꼭 하고 싶습니다!"

그의 단호한 눈빛에 종혁은 피식 웃었다.

'아무래도 대포차 조직은 다음에 쫓아야겠네.'

이놈들도 참 운이 좋다 싶었다.

종혁은 실실 웃으며 김종두를 바라봤다.

"그렇다는데요?"

"……하아. 그래, 재수가 하고 싶다면 해야지. 어쩌겠어. 첫 사건인데."

"이런 옘병."

"너 이 사건 끝내면 꼭 비싼 거 사라. 우리 돼지고기나 곱창 이딴 거 안 먹는다."

전가의 보도. 형사로서의 첫 사건.

형사들은 핸드폰을 들었다.

"응. 지연이 엄마? 오늘부터 못 들어가. 몰라, 얼마나 걸릴지."

"동호야? 아빠야. 응. 엄마 바꿔 봐."

"아니야. 속옷 안 챙겨도 돼. 종혁이가 많이 사다 놔서 괜찮아. 응응. 그래, 사랑해. ……아니, 욕은 하지 말고."

형사로서의 첫 사건은 같은 수사과 형사들 전부가 서포트한다.

그게 형사의 룰이었다.

종혁도 고정숙에게 당분간 못 들어갈 수 있다고 연락을 했다.

그렇게 서울경기 이십대 여성 실종 사건의 수사본부가 설치됐다.

* * *

"아니, 내가 여길 왜……."

"모르면 닥쳐. 닥치라고. 이걸 진짜 확!"

종혁은 오택수가 손을 들자 깨갱하면서도 반항적인 눈빛을 보내는 최재수의 모습에 고개를 저으며 인연이 깊은 중부서 안으로 들어갔다.

"충성. 다들 잘 계셨습니까!"

"이야, 이게 누구야. 그렇게 같이 일하자고 꼬드겼는데 본청으로 날름 튀어 버린 종혁이 아니야? 우리 일단 맞고 시작할까?"

"사랑합니다."

종혁이 머리 위로 하트를 그리자 손가락을 꺾으며 일어서던 종혁과 인연이 깊은 형사 3팀 반장이 피식 웃었다.

"무슨 일인데?"

"염상수 경위님 계실까요?"

"나?"

깜짝 놀라 모니터 밖으로 고개를 빼꼼 내미는 한 사십대 사내.

종혁은 씩 웃으며 다가가 경례를 했다.

"본청 특수의 최종혁 경위입니다."

"오택수 경위입니다."

"……."

오택수는 어리벙벙한 최재수의 뒤통수를 후려갈겼다.

"최, 최재수 순경입니다!"

"아, 이십대 여성 실종 사건 때문에?"

종혁은 고개를 끄덕였다.

"예. 그래서 이야기를 좀 듣고 싶은데 혹시 시간 괜찮으실까요? 물론 수고비도 가져왔습니다."

염상수 경위는 종혁이 드는 홍삼 선물세트에 눈을 동그랗게 떴다가 이내 배시시 웃었다.

"같은 식구끼리 뭘 그런 걸 다……. 뭐가 듣고 싶은데요?"

"다요."

종혁은 눈을 빛냈다.

"신고 접수를 받았던 상황부터 조사한 것까지 모두. 경위님의 사견까지요."

원래 사건에 대한 건 가장 처음에 접수하고 조사한 형사가 가장 잘 아는 법이다.

하지만 인간이라는 게 완벽하지 않다 보니 언제나 사건 기록에 담지 못한 것들이 생기는데, 종혁은 그걸 듣기 위해 이렇게 찾아온 것이었다.

중부서 건물 바깥, 벤치에 앉은 종혁에게 염상수 경위가 자판기 커피를 내민다.

"자요. 마셔요."

"감사합니다."

"아니에요. 우리 회사에 왔는데, 이 정도 대접은 해야지. 자, 그럼 보자…… 일단 현장은 둘러보고 왔어요?"

"대충 둘러보고 왔습니다."

"잘했네."

고개를 끄덕인 염상수 경위는 기억을 더듬었다.

"당신들도 봐서 알겠지만, 실종자 이경미 씨는 정말 연기처럼 사라졌어요."

시간대는 새벽 1시쯤이었다.

그날 친구들과 술을 마시고 헤어진 이경미는 초코우유를 사기 위해 집 앞이 아니라 편의점 앞에서 내려 계산을 마친 후, 편의점을 빠져나와 초코우유가 담긴 봉지를 흔들며 걷다가 사라졌다.

정말 연기처럼 증발한 듯 말이다.

"원래 그 시간대가 되면 인적이 드문 동네라 목격자도 없고, 블랙박스도 없고, CCTV도 딱 그 30미터만 안 비추고…… 귀신이 곡할 노릇이었지."

이후 주변을 아무리 탐문해 봐도, 그 시각 그곳을 지나쳤을 택시가 있는지 알아봐도 실종자 이경미를 발견할 수 없었다.

사건은 그렇게 단순 실종으로 마무리됐다.

하지만…….

"그런데 난 왠지 한 승합차가 의심스럽더라고."

종혁은 눈을 빛냈다.

"승합차요?"

"실종 발생 시각 2시간 전에 슬그머니 나타나서 그 사각에 정차하고 있다가 발생 시각 30분 후에 출발했거든."

처음 나타났을 땐 두 번이나 유턴을 했다.

"마치 주차 자리를 찾는 듯했지만……."

"그러기엔 그 시각의 거리는 텅 비어 있었죠."

"그렇지! 잘 아네!"

종혁은 입술을 핥았다.

보라. 벌써부터 이렇게 수고를 무릅쓰고 찾아온 보람이 있지 않나.

사건 기록에 담기지 않은 염상수 경위의 사견. 지금부

터 나올 이야기는 염상수 경위의 개인적인 수사 내용이었다.

"납치라고 생각하신 거군요?"

"그게 아니면 사람이 그렇게 감쪽같이 사라질 수 없으니까. 그래서 그 차량 동선을 따 봤는데……."

"따 봤는데?"

염상수 순경은 한숨을 탁 내뱉으며 미지근해진 커피를 단숨에 들이켰다.

"이 차도 사라졌어. 주택가 골목길 안으로 들어가는 것까진 확인했는데……."

밖으로 나오는 건 확인되지 않았고, 주택가 전부를 뒤졌음에도 그 승합차를 발견하지 못했다.

이 승합차도 연기처럼 사라진 거다.

"그래서 뭔가 이상해 본격적으로 파 보려고 했지만……."

이 외에도 밀려 있는 사건이 많아서 어쩔 수 없이 뒤로 미룰 수밖에 없었다. 그런데 이게 바빠서 어쩔 수 없었다는 변명 같아서 참 기분이 더러웠다.

종혁은 그 뒷말을 차마 못하는 염상수 경위의 마음을 다 안다는 듯 웃어 주었다.

"감사합니다. 그럼 수사 내용을 넘겨주실 수 있을까요?"

"……부탁합니다. 제발 찾아 주세요."

"예, 꼭 그러겠습니다."

뜨거운 악수를 나눈 염상수 경위는 기록을 가져오겠다며 건물 안으로 뛰어 들어갔고, 종혁은 낯빛이 딱딱하게 굳어 있는 최재수를 향해 입을 열었다.

"이제 왜 여길 왔는지 알겠지?"

"……죄송합니다."

"서류 안에 있는 것만이 다가 아니야. 그걸 명심하도록 해."

"……예."

오택수는 풀이 죽은 최재수의 머리를 헤집었다.

"그렇다고 방금 들은 그 말 때문에 편견을 가져서도 안 된다. 형사가 편견을 가지는 순간 진실은 사라지는 거니까. 알았냐?"

"예!"

"그럼 됐다. 어휴, 진짜 이 모자란 놈을 언제 사람으로 만들지?"

"……."

평소라면 발악했을 말에도 얌전한 최재수의 모습에 종혁은 이제 좀 사람이 되는 것 같아서 다행이라고 생각했다.

"여기 있습니다! 많이 기다리셨죠!"

종혁은 몸을 일으켰다.

* * *

염상수 경위에게 수사 기록을 넘겨받았지만, 종혁과 둘은 실종자 이경미의 실종 지점에 있는 모든 CCTV부터 다시 뒤졌다.

납치는 어디까지나 염상수 경위 개인의 소견일 뿐이기 때문이다.

"실종 발생 시각 3시간 전후로 CCTV에 잡힌 차량이 총 246대."

"그중 택시가 총 78대고, 실종 발생 시각부터 3시간 후까지 그 앞을 지나간 택시가 총 5대."

"일반 차량이 총 12대."

왜 하필 3시간이냐면, 이경미가 들른 편의점의 알바생이 그 3시간 후에 담배를 피우기 위해 나왔기 때문이다.

그때 알바생은 이경미가 걸어간 방향을 보며 담배를 피웠고, 이경미를 발견하지 못했다.

도로에 주차된 차들도 없어서 시야가 확보되었다는 증언이다.

"그중 일반 차량 11대는 시간상 그냥 스쳐 지나간 걸로 추정되고……."

왜 염상수 경위가 그 승합차를 의심했는지 알 수 있는 부분이다.

"흠. 나는 이 택시들 확인해 볼게."

택시회사가 저마다 달라서 발품을 꽤 팔아야 할 듯싶었다.

"그럼 전 구청과 동사무소에 들렀다가 그 승합차 쫓아볼게요. 그 후에 만나서 일반 차량들 확인해 보죠."

"오케이. 몇 시에 볼까?"

"저녁 8시에 만나죠. 그럼 최 순경은 제가 데려가겠습니다."

"알았어. 그럼 그때 보자. 야, 최재수. 잘 배워, 새끼야."
"예?"
"택시!"
종혁은 택시를 잡기 위해 뛰어가는 오택수를 뒤로하며 최재수와 함께 구청으로 향했다.
"여긴 왜……."
"목격자 찾으려고."
"……?"
"보면 아니까 그거 잘 들고 따라오기나 해."
종혁은 구청 안의 한 사무실 안으로 들어갔다.
웅성웅성!
뭐가 바쁜지 이리저리 돌아다니는 공무원들.
종혁은 그중 가까운 공무원에게 경찰공무원증을 내밀었다.
"최종혁 경위입니다."
"아, 예. 무슨 일로……."
"유인물이나 플래카드 담당하시는 주사님이 누군지 알려 주실 수 있을까요? 실종자 플래카드를 걸려고요."
"아, 그거라면…… 음, 아! 저기 조만득 주사님이 담당이세요. 만득 형님! 손님이요!"
"어? 나? 어, 보네!"
"저기로 가 보세요."
"감사합니다."
종혁은 오십대의 배불뚝이 공무원 앞에 서서 다시 경찰

공무원증을 보여 줬다.

“최종혁 경위입니다. 혹시 관내에서 발생한 이십대 여성 실종에 대해 알고 계십니까?”

“아, 그것 때문에 오셨구나. 안 그래도 저희도 안타깝던 차였습니다. 이제 본격적으로 수사하는 겁니까?”

“예. 그래서 목격자를 찾기 위해 플래카드를 걸려고 하는데…….”

종혁은 최재수를 툭 쳤고, 화들짝 놀란 최재수는 얼른 들고 있던 홍삼 선물세트를 내밀었다.

“어이쿠. 당연히 협조해야 될 일인데, 뭘 이런 걸 다…….”

“목 좋은 자리 좀 알려 주십사 빌러 온 거죠.”

“하하. 그런 거라면 잘 찾아오셨습니다. 우리 구 내에 목 좋은 자리는 내가 가장 잘 아니까! 뭐 말 나온 김에 나가시죠. 아, 플래카드는 가져오셨죠?”

“아니요. 이제부터 제작할 예정이라 자리만 가르쳐 주시면 됩니다. 설치는 저희가 할게요.”

“음. 이런 것까지 받은 상황에서 드라이브만 하면 미안한데…….”

“나중에 또 도움 청할 일이 있으면 잘 봐주십시오.”

“하하하. 당연하죠.”

그렇게 종혁은 담당공무원과 함께 중구 내에 있는 모든 목 좋은 자리를 기록할 수 있었다.

이후 동사무소에서도 담당자에게 양해를 구하고, 교차 검증을 한 종혁은 저녁 7시가 다 돼서야 승합차가 마지막으로 목격된 주택가의 입구 앞에 설 수 있었다.

"흐음."

"저…… 최 경위님."

눈을 가늘게 뜨며 주택가 안을 응시하는 종혁에게 최재수가 말을 건다.

"왜 이렇게까지 하는지 이해 안 가지?"

최재수는 고개를 끄덕였다.

"플래카드가 잘 보이라고 그러는 거야."

"예?"

"흠. 이걸 어디서부터 설명해야 되나……. 일단 플래카드를 정해진 게시대 외에 설치하는 게 불법인 건 알지?"

"어? 그랬습니까?"

"응?"

생각지도 못한 대답을 들은 종혁은 눈을 끔뻑였다.

그에 최재수는 다급히 변명을 했다.

"아니, 순찰을 하다 보면 많이 보이니까 허락을 맡고 하는 걸로만……. 저희도 아무렇게나 걸어서……."

"아, 그렇게 생각할 수 있겠네. 하지만 아니야."

물론 예외 대상인 경우가 몇몇 있고, 나중에는 지금과 같은 경우도 예외로 적용된다.

그러나 지금은 아니었다.

"그런데 이런 플래카드들은 죄다 잘 보이는 곳에 설치된다는 말이지? 차량이나 지나는 사람이 잘 볼 수 있는 곳에."

이미 실종자를 찾을 수 있는 골든타임은 지났다.

이경미 씨가 실종된 지도 벌써 열흘. 이젠 혹시라도 있을 목격자의 제보가 절실할 때였다.

그 혹시라도 있을 목격자가 플래카드를 보고 연락해 주기를 바라며 잘 보이는 곳에 플래카드를 설치하려는 거다.

"그런데 동네에서 실종자가 나오면 어떻겠어?"

안타까워하는 사람이 있는 반면, 집값 떨어진다고 싫어하는 사람도 있다.

그런 이들이 구청과 동사무소에 민원을 넣는 것이다. 플래카드를 떼거나 잘 안 보이는 곳으로 옮겨 달라고.

"그, 그런……!"

"뭘 그런 거 가지고 놀래? 파출소에서 구르다 온 사람이."

"……."

"아무튼 내가 오늘 한 일은 그런 민원이 들어왔을 때 무시해 달라는 부탁이었어. 그리고 혹시라도 누가 떼면 바로 알려 달라는 부탁이기도 했고."

"아……."

몰랐던 걸 깨달은 최재수는 얼른 수첩에 기록을 했고, 종혁은 그런 그를 보며 고개를 끄덕였다.

'이건 참 마음에 든단 말이지.'

모르는 건 문제가 안 된다. 배우면 되니까.

하지만 가르쳐 줬는데도 배우려 들지 않는 건 엄청난 문제다.

그런 의미에서 최재수는 정말 가르치기 흐뭇한 학생이라고 할 수 있다. 이렇게 배웠어도 형사 일에 잘 적용을 시키지 못하는 건 흠이지만 말이다.

'그래도 이런 것 하나하나가 쌓여서 진짜 형사가 되는 거지.'

아직까지는 잘 따라오고 있다. 일단 그거면 충분했다.

짝 박수를 친 종혁은 몸을 돌렸다.

"자, 그럼 안으로 들어가 볼까?"

"예!"

* * *

종혁은 주택가를 이 잡듯 뒤졌지만 별다른 소득은 없었다.

블랙박스는 사건 발생 후 열흘이 지났기에 모두 영상이 삭제된 이후일 거라 의미가 없었고, 승합차가 이곳에 진입한 시간도 새벽 2시 이후라서 목격자도 찾기가 힘들었다.

"일단 여기에도 실종자 전단을 붙여야겠네……."

"최 경위님."

"차량 운전자들에게 모두 연락해 봤어?"

"말씀하신 대로 전화번호가 없는 차들은 번호판을 적었습니다."

고개를 끄덕인 종혁은 담배를 물었고, 최재수는 머리를 긁었다.

"하아. 정말 이 승합차를 어디서 찾죠?"

들어오는 입구는 하나, 나가는 출구는 셋이다.

주택가 안에 CCTV가 있긴 했지만 그걸로는 방향을 특정하기가 어려웠다.

"어떻게든 찾아야지. 일단 도로 CCTV부터 뒤져 보자고."

"예."

종혁은 가장 가까운 출구 근처의 식당 등 가게의 CCTV를 뒤지기 시작했다.

그렇게 얼마나 확인했을까.

-지치고 힘들 땐…….

"아, 시간이 벌써 이렇게 됐나?"

종혁은 얼른 전화를 받았다.

"이쪽으로 넘어오세요."

-뭐야, 아직 다 확인 못했어?

"이제 도로 쪽 CCTV 확인 중이에요."

-알았어. 금방 넘어갈 테니까 식당에 들어가 있어. 배고파.

"옙!"

전화를 끊은 종혁은 그제야 자신들이 식사조차 안 하고 일을 하고 있었다는 걸 떠올릴 수 있었다.

그러자 허기가 미칠 듯 밀려왔다.

꽈르르르륵!

"풉!"

"시끄러워."

다급히 입을 다무는 최재수를 일견한 종혁은 눈치 없이 소리를 낸 배를 매만졌다.

"에혀. 그래, 다 먹고 살자고 하는 짓인데……."

종혁은 세 번째 출구 바로 옆에 있는 정비소를 봤다.

"저기만 확인하고 식당 들어가자. 최 순경은 뭐 먹을래?"

"유, 육개장 먹고 싶습니다!"

"확실히 아까 냄새가 죽이긴 했지? 오케이, 접수."

종혁은 이제 오늘 장사를 접으려는 듯 셔터를 내리려는 차량 정비소로 뛰어갔다.

"잠깐! 잠깐만요!"

화들짝 놀란 다양한 연령대의 사내들이 동그랗게 뜬 눈으로 종혁을 봤다.

"경찰입니다. 이번에 중구에서 발생한 여성 실종 사건 때문에 잠시 협조를 구할 게 있는데, 혹시 CCTV 좀 확인할 수 있을까요?"

종혁이 내민 경찰공무원증을 본 그들은 잠시 당황했다.

"음. 저희 이제 퇴근해야 되는데……."

"잠깐이면 되니까 부탁드리겠습니다. 선생님들의 도움에 한 사람의 생명을 살릴 수 있습니다."

진지한 종혁의 말에 그들은 결국 승낙을 할 수밖에 없었다.

"정호야."

"아, 씨. 왜 또 저예요. 하아, 알겠습니다. 따라오세요."

"그래. 수고하고 내일 보자."

“예, 예.”

정호라 불린 이십대 청년은 툴툴거리며 안으로 들어갔고, 종혁은 마저 퇴근하는 사람들을 향해 다시 감사의 의미를 담아 고개를 숙인 후 이십대 청년의 뒤를 따랐다.

한 대의 외제차가 리프트에 올라가 있는 정비 공간을 지나 안쪽 사무실로 들어간 그들.

“뭘 확인하고 싶으신데요?”

종혁은 불퉁한 청년의 반응에 싱긋 웃었다.

“열흘 전 새벽 2시 이후부터의 영상만 확인시켜 주시면 됩니다.”

“열흘 전이요?”

눈을 껌뻑인 청년은 이내 CCTV를 조작했다.

“음…… 잠시만요. 아, 여기 있네요.”

“제가 확인해도 되겠습니까?”

“아, 네.”

청년이 물러난 자리에 선 종혁은 CCTV 영상을 봤다가 고개를 모로 기울였다.

“이거 검은 화면만 나오는데요?”

“네? 그럴 리가요. 어? 아…… 씨발. 또 이러네. 비싼 것 좀 사자니까.”

“자주 이러는가 봅니다?”

“가끔요. 바깥에 놔둔 고철 훔쳐 가는 사람들이나 가끔 셔터에 돌 던지고 도망가는 미친놈들 때문에 설치한 거라…….”

“아아, 신고는 하셨고요?”

"신고해 봤자 그때뿐이죠."
"같은 경찰로서 사과드립니다."
"아, 아니요. 아이 참, 그런 의도로 말한 게 아닌데……."
"하하. 압니다. 그래도 더 노력하겠습니다."
"끄응."
볼을 긁는 청년에게 웃어 준 종혁은 CCTV를 계속 재생하다가 이내 시간대가 새벽 6시에 접어들자 그만뒀다.
"네. 협조해 주셔서 감사합니다. 에고, 이거 저희가 너무 늦은 시간까지 폐를 끼쳤네요."
"아니요. 안녕히 가세요. 그리고 꼭 찾으세요!"
"예! 수고하십쇼."
종혁은 이번에도 허탕이라 작게 실망하는 최재수와 함께 차량 정비소를 빠져나갔고, 그런 둘을 배웅 나온 청년은 멀어지는 종혁과 최재수를 빤히 응시하다 안으로 들어갔다.

한편 식당 안으로 들어온 종혁은 메뉴판을 보며 군침을 삼키는 최재수를 보며 한숨을 내뱉었다.
"최 순경."
"예?"
"배고파?"
"예. 최 경위님도 배고프시다고……."
"에휴. 그래, 내가 뭘 바라냐."
갑작스런 질책에 최재수는 얼굴을 와락 구겼고, 종혁은

아직까지 해야 할 일을 깨닫지 못하는 그의 모습에 고개를 저으며 핸드폰을 들었다.

"예, 삼촌. 그쪽은 좀 어때요?"

"헉?!"

'에라이.'

이번 수사의 선장은 어디까지나 최재수다.

그럼에도 시간이 날 때마다 선원들의 보고를 받지 않았으니 당연히 혼을 낼 수밖에 없었다.

-우리야 당연히 글렀지. 실종된 지 벌써 두 달이나 됐는데 뭐가 있겠냐? ……그래도 좀 이상한 부분이 있긴 해.

"그래요? 뭔데요?"

종혁은 슬그머니 허리를 폈다.

-실종 발생 시각 2시간 전후로 거수(거동 수상) 차량이 있더라고.

종혁은 고개를 모로 기울였다.

"어? 진짜요?"

-왜?

"저희도 그런 차량이 있었거든요. 뭐 실종자가 사라진 것처럼 이 차량도 감쪽같이 사라져 버렸지만……. 그쪽은요?"

-우린 지금부터 그 차 동선 쫓으려고. 하, 수원은 벗어나지 말아야 하는데…….

"에고. 수고하십쇼."

-그래. 너도 수고. 아, 그런데 재수 이 새끼 지금 어디 있냐? 왜 전화를 안 해? 지가 뭔 궁예야? 앉은 자리에서 다 볼 수 있어?

흐뭇이 웃은 종혁은 핸드폰을 최재수에게 넘겼다.

"받아 봐. 바꿔 달래."

"예? 예…… 여, 여보세요?"

-최재수, 이 개새끼야-!

"악!"

종혁은 핸드폰을 붙잡고 연신 사과를 하는 최재수를 무시하며 손을 들었다.

"이모, 여기 주문이요!"

그리고 이날, 종혁과 최재수는 끝내 승합차의 행방을 찾지 못했다.

* * *

따르릉! 따르릉!

서울과 경기 전역에 플래카드가 걸린 이후부터 특수범죄수사과에 전화가 빗발쳤다.

대부분, 아니 전부가 장난 전화.

목격자 증언 하나가 간절한 그들로서는 맥이 풀릴 수밖에 없었다.

하지만.

"……."

특수범죄수사과의 사무실이 조용하다.

딱딱하게 굳은 낯빛을 한 형사들의 입은 조개처럼 다물어져 있고, 몇몇은 헛웃음을 터트린다.

따르릉! 따르릉!

"씨발, 누가 저 빌어먹을 전화기 좀 조용히 시켜 봐라!"

김종두 과장의 외침에 형사들은 모두 전화선을 뽑은 후 다시 원래 있던 자리로 모였다. 이제 사무실은 옆 사람의 숨소리조차 들릴 정도로 불쾌한 침묵에 휩싸였다.

"후우. 다시 확인한다. 경기 남부 팀."

"거수 차량 발견. 추적 실패."

"경기 동부 팀."

"거수 차량 발견. 추적 실패했습니다."

"서울 동부 팀."

"이하 동문입니다."

"……."

지난 일주일 동안 서울경기를 이 잡듯 뒤진 형사들 가운데 반수 이상이 거수 차량을 발견했고, 이게 뜻하는 바를 모르는 형사는 이 자리에 없었다.

우연히 급증한 단순 실종 사건이 아니라 조직적 납치일 가능성이 생긴 거다.

사건이 커질 기미를 보이고 있었다.

"최재수!"

"예, 예!"

최재수는 재빨리 메인 스크린에 차량 사진들을 띄웠다.

승합차나 승용차, 심지어 1톤 탑차도 있었다.

"거수 차량 전부 번호판을 확인했지만, 모두 대포차로 판명되었습니다. 이상입니다."

거수 차량인데 하필 대포차다. 그것도 전부.

이게 뜻하는 게 뭐겠는가.

"와, 씨. 이거 우리가 안 맡았으면 절대 못 찾았겠는데?"

맞다. 특수범죄수사과가 서울경기 전부에서 일어난 이십대 여성 실종 사건을 조사했기에 생겨난 가능성이다.

아니었다면 이런 가능성은 생기지도 못한 채 단순 실종으로 마무리됐을 거다.

'아니, 사망으로 마무리됐겠지.'

회귀 전엔 그랬다.

끝내 이 실종자들은 나타나거나 발견되지 않았고, 결국 실종자 전원 5년 후 사망 판정을 받게 되었다.

빠드득!

이를 가는 종혁과 형사들의 모습에 김종두 역시 이를 드러냈다.

"어떻게든 찾아. 이 차들이 실종 사건에 연관되어 있는지 없는지는 일단 찾고 나서 판단한다. 알았어?"

"예!"

"뭐해! 움직여!"

"움직여!"

후다닥!

종혁도 재킷을 챙겨 들며 본청을 뛰어나갔다.

그렇게 실종 사건이 새로운 국면으로 접어들었다.

* * *

"아아악!"

최재수의 외침이 오후 4시의 거리를 꿰뚫는다.

지나는 사람들은 그를 쳐다봤고, 종혁과 오택수는 평소처럼 타박하는 대신 담배만 연신 빨았다. 그들도 최재수처럼 답답했기 때문이다.

새로운 가능성이 제시 된지도 벌써 사흘째.

주변 탐문도 더 심도 깊게 진행하고, CCTV도 사건 발생 후 8시간까지 늘렸음에도 수사에 진전은 없었다.

언제나 깔끔하려고 노력하던 종혁도 수염이 덥수룩 나 있는 상태였다.

"대체 왜 안 나오는데-! 하늘로 솟았냐고, 땅으로 꺼졌냐고! 그럼 말이라도 좀 해 달라고, 제바알!"

벌써 사흘째 씻지 못해 상거지가 따로 없는 최재수의 간절한 바람을 일견한 종혁은 머리를 벅벅 긁었다.

"어쩔 수 없네요."

"어쩌게?"

"CCTV 12시간, 아니 48시간으로 늘리죠."

언제나 기똥찬 아이디어를 제공하던 종혁이기에 큰 기대를 가졌던 오택수는 욕을 내뱉었다.

"그래, 씨발. 결국 그 방법밖에 없지."

골든타임이 지난 지 너무 오래됐다. 이젠 정말 CCTV 밖에 답이 없었다.

“야, 최재수! 사무실에 연락해서 목격자 생겼는지 물어봐.”

“아, 예!”

“넌 씨발 계속 떠먹여…… 하아, 아니다. 미안하다.”

두 시간 전에도 목격자 확인을 했다. 화를 낼 부분이 아니었다.

“아, 아닙니다. 그럼 전화하겠습니다.”

종혁은 최재수가 핸드폰을 들자 오택수를 툭 쳤다.

“최 순경 통화 끝나면, 일단 사우나부터 다녀오죠.”

“괜찮겠냐? CCTV 영상이 삭제되지 않을까?”

“알잖아요. 지금 머리 안 식히면 봐야 할 것도 놓치는 거.”

지난 3일 동안 총 6시간밖에 못 잤다. 이 정신으론 중요한 단서가 나온다고 해도 놓칠 가능성이 컸다.

“그 말이 맞네. 그래, 그럼 얼른 씻고 1시간만 자자.”

“예, 감사합니다. 최 경위님, 오 경위님. 의미 있는 목격 진술은 없었다고 합니다.”

“……씨부럴. 그래, 가자. 가. 가서…….”

끼이익! 쿵!

종혁과 오택수, 최재수의 고개가 소리가 난 방향으로 돌아갔다.

옆 사거리에서 접촉 사고가 나 있는 상태였다.

한숨을 탁 내뱉은 셋은 그쪽을 향해 걸음을 옮겼다.

정신을 차리는 것도 중요하지만, 눈앞에서 발생할 사건

을 외면할 수는 없었다.

경찰에게 중요하지 않은 사건은 없다. 이 말을 귀에 피딱지가 생길 정도로 들은 최재수도 별말 없이 둘을 뒤따랐다.

갓길로 옮긴 두 대의 차량으로 다가간 종혁과 둘은 일단 혀부터 내둘렀다.

사고를 당한 차량이 고가의 외제차인 것도 모자라, 사고를 낸 차량이 엘란트라였기 때문이다. 거기다 사고를 낸 차량의 운전자는 이십대 초반의 대학생으로 보였다.

혀를 내두를 수밖에 없는 상황이었다.

'그런데 엘란트라가 흔한가 보네…….'

십여 일 전 자신에게 났던 접촉 사고를 떠올리며 그런 생각 따위를 하던 종혁은 두 사람이 원만하게 해결을 보려는 듯하자 오택수를 툭 쳤다.

"가죠."

"어, 그래."

어차피 도주나 시비 끝에 발생할 폭력 등 혹시 모를 상황이 생길까 걱정돼서 와 봤던 것이기에 그들은 미련 없이 몸을 돌렸다.

"종혁아, 이번에 확인할 땐 그냥 하드 받아 오자. 혹시라도 48시간이 아니라 그 이상도 확인해야 될지 모르니까."

좋은 생각이다.

"알겠습니다. 저보고 사라는 말이죠?"

"왜? 아깝냐?"

코웃음을 치는 것으로 대답을 대신한 종혁은 핸드폰을 들었다.

"예, 과장님. 전데요. CCTV 하드 확보 좀 해 주세요. 협조 안 해 주면 그냥 돈으로 사세요. 영수 처리 안 되는 건 제가 낼 테니까."

—……하아. 미안하다. 그런 건 내가 해야 되는데.

"그럼 부탁드리겠습니다."

종혁은 전화를 끊었고, 오택수는 최재수의 옆구리를 푹 찔렀다.

"얼른 고맙다고 해, 이 새끼야."

"가, 감사합니다, 최 경위님."

"됐어."

어차피 이러려고 버는 돈 아니던가.

"대신 넌 이거 끝까지 물고 늘어져서 진실을 밝힐 생각만 해. 혹여 지금 단서를 못 찾는다고 해도 절대 포기하지 말라고."

형사가 사건을 포기하는 순간 진실은 사라지고, 억울한 피해자가 생긴다. 종혁은 최재수가 그런 실수를 하지 않기를 바랐다.

"알았어?"

"옙!"

종혁은 단단하게 뭉친 최재수의 눈을 응시하다 고개를 끄덕였다.

"그리고 정 미안하면 이따가 등 좀 밀어 주든지."

"어…… 잘 못 들었습니다?"

넓기가 태평양만 한 종혁의 등.

"참고로 나 등짝에 피 안 나면 미는 걸로 안 친다."

종혁은 대답 대신 하얗게 질리는 최재수의 모습에 킬킬 웃으며 걸음을 옮겼다.

답답하기만 한 상황. 이렇게라도 웃어야 했다.

* * *

사우나 수면실에서 1시간 수면을 취하며 정신을 재무장한 셋은 CCTV 저장장치 확보에 나섰다.

협조해 주는 곳은 크게 사례를 하고, 협조를 해 주지 않는 곳은 돈으로 후려치니 어느새 차 트렁크가 하드로 가득 차게 됐다.

"돌고 돌아 또 여기네."

"그러게요."

실종자 이경미씨와 연관이 있을 것 같은 거수 차량이 사라진 주택가. 종혁과 둘은 이곳에서도 CCTV 확보에 열을 올렸다.

그러다.

"악! 자, 잠깐만요! 잠시만!"

이번에도 본의 아니게 셔터 문을 내리던 정비사들의 퇴근을 막아 세우게 된 종혁은 멋쩍다는 듯 머리를 긁었다.

"어? 형사님?"
"하하. 죄송합니다."
"하아……. 이번에도 CCTV를 확인하시려고요?"
"아니요. 이번엔 하드 전체가 필요한데…… 협조해 주실 수 있을까요? 사례는 톡톡히 하겠습니다."
"사례요?"
벌써 세 번째 찾아오는 것이기 때문에 눈살을 구겼던 정비소 사장이 눈을 빛냈다.
"얼마나……."
"저희가 경찰이라 많이 드릴 수는 없고 20만 원 정도밖에 못 드리는데…… 이렇게 두 번이나 퇴근을 방해한 것도 있으니 특별히 40만 원 드리겠습니다. 어떠십니까?"
"정호야!"
"예, 예. 또 나지, 씨발."
"뭐 인마?"
"아무 말도 안 했는데요?"
"……넌 내일 보자. 하하. 그럼 수고하십시오."
"감사합니다. 복 받으실 겁니다, 사장님!"
손을 저은 사장이 정비소 직원들과 함께 사라지자, 종혁은 저번에도 귀찮게 했던 이십대 청년의 손에 2만 원을 쥐여 주었다.
"……목은 안 마르세요? 음료수 드릴까요?"
"하하."
역시 돈의 위력이 셌다.

그렇게 꺼졌던 불이 켜지는 정비소 안으로 들어온 종혁은 리프트에 올라가 있는 외제차를 보고 눈을 껌뻑였다.

'어? 이 차?'

아까 접촉 사고가 났던 걸 목격했던 외제차다.

종혁은 이 신기한 우연에 혀를 내두르며 안으로 들어갔다.

"아, 하드는 저희가 뜯을게요."

"휴. 감사합니다. 솔직히 어떻게 뜯는지 잘 몰라서……."

그게 당연하다는 웃은 종혁은 최재수를 봤고, 트렁크에 저장장치를 가득 채울 정도로 숙달된 숙련공이 된 최재수는 드라이버를 꺼내 들며 저장장치를 뜯기 시작했다.

그리고 종혁은 청년이 타 준 커피를 홀짝이다 입을 열었다.

"그런데 외제차가 많이 들어오나 봐요? 저번에 왔을 때도 외제차가 보이던데."

흠칫!

"아, 네. 다 사장님 손님이에요. 사장님께서 저런 외제차 타고 다니는 분들을 많이 아시거든요."

'음?'

종혁과 오택수는 순간 눈을 빛냈다.

너무 찰나였는지라 청년은 그걸 눈치채지 못했다.

종혁은 커피를 음미하는 척 순간 굳은 입가를 풀었다.

"흐음. 하긴, 이런 곳이 서비스센터보다 저렴하긴 하죠."

"그렇죠. 괜히 서비스센터 들어가면 이래저래 골치 아

프고. 시간도 오래 걸리고."

"확실히 그렇긴 하죠."

"경위님, 확보했습니다."

"아, 수고했어. 그럼 협조해 주셔서 감사합니다. 좋은 저녁 되세요."

"네! 형사님들도요!"

셋은 이번에도 배웅을 받으며 정비소를 나섰다.

그렇게 옆 가게로 향하다 담배 타임을 가지는 척 멈춰 선 종혁과 오택수는 서로를 봤다.

"방금 이상했지?"

"예. 뭔가 이상하네요."

종혁은 그렇게 말하며 코를 긁었다.

왜일까. 갑자기 이렇게 고약한 냄새가 나는 건.

'외제차, 정비소. 엘란트라. ……정비소와 엘란트라.'

참으로 공교로운 우연이다.

"흠."

하지만 절대 우연을 믿지 않는 종혁은 핸드폰을 들다가 멈칫했다. 턱을 매만지던 그는 이내 고개를 저으며 어딘가로 전화를 걸었다.

"예, 수고하십니다. 본청 특수범죄수사과의 최종혁 경위입니다. 차량 도난 신고 좀 확인하고 싶은데요. 예, 차량 번호가……."

처음 이 정비소에 왔을 당시 리프트에 올라가 있던 외제차의 번호를 말한 종혁은 들려오는 답변에 씩 웃었다.

"아, 그래요?"

종혁은 정비소를 향해 몸을 돌렸다.

마침 셔터를 모두 내린 청년과 눈이 마주친 종혁은 고개를 까딱했고, 청년은 어색하게 웃으며 돌아섰다.

종혁은 그런 청년의 등을 서늘히 가라앉은 눈으로 응시했다.

"예, 감사합니다. 수고하십시오."

"음? 응?"

종혁은 상황을 몰라 의아해하는 최재수를 일견하며 오택수를 봤다.

"도난 신고가 됐답니다. 우리가 처음 저기에 들르고 이틀 후에."

"그래?"

"예. 그런데 참 신기하죠? 우리 빌딩 세입자 씨도 접촉사고 후 저런 정비소에서 정비를 받고 차를 돌려받은 그날 저녁에 차를 도난 맞았거든요."

더 재밌는 건 정비 공간의 상태다.

오픈한 지 몇 년 안 된 듯 썩 더럽지 않았던 바닥.

운전자들은 안다. 오래된 정비소의 바닥은 정말 말을 할 수 없을 정도로 처참하단 걸.

"그러게. 신기하네. 뭐 이런 우연이 있을 수가 있지?"

그렇게 말하지만 잊을 리가 없다. 종혁에게 듣자마자 욕심을 냈던 사건이 아닌가.

둘은 이제야 이해하는 최재수를 외면하며 입술을 비틀

었다.
실종 수사 중에 아주 재미난 게 걸렸다.

한편 거리를 건던 청년은 어딘가로 전화를 걸었다.
"네. 옆 식당으로 가는 거 확인했어요."
-뭘 알아차린 것 같진 않고?
"그런 눈치는 아니었어요. 외제차에 대해 묻긴 했는데, 제가 잘 둘러댔으니까 걱정 마세요."
-흐음. 알았어. 내일 보자. 아, 내일 출근하면 오늘 들어온 차부터 다시 확인해 봐. 저번에 다른 팀에서 작업하려던 차에 수갑 있었단 거 들었지?
"아, 글러브 박스에 케이스째 들어 있었다는 거요?"
-그래. 혹시 우리도 그럴 수 있으니까 샅샅이 확인해.
"네, 네. 알겠습니다. 아, 그런데 다른 쪽 작업은 언제……."
-씁. 지금 경찰이 뒤집고 다니는 거 몰라? 당분간 없을 테니까 그렇게 알아! 그리고 외제차 작업도 이번 거 마무리하면 당분간 쉴 거야! 짧은 기간 내에 너무 했으니까!
"끙. 네, 수고하세요."
전화를 끊은 청년은 한숨을 탁 내뱉었다.
"하. 이제 돈 떨어져 가는데……."
혀를 찬 그는 어쩔 수 없다는 듯 고개를 저으며 근처의 유료주차장으로 향했다. 그리고 잠시 후 유료주차장 안에서 값비싼 중형 세단 한 대가 빠져나왔다.

* * *

“후우.”
“하!”
특수범죄수사과의 형사들이 망연히 허공을 보며 담배를 태운다.
48시간도 모자라서 72시간, 96시간까지 확인해 봤지만, 거수 차량은 그 어떤 곳에서도 발견되지 않았다.
거수 차량의 증발 후 약 5시간 안에 똑같은 차종이 발견되긴 했지만, 색상도 달랐고 차량 번호도 달랐다.
저장장치를 죄다 뜯어 올 때까지만 해도 다시 희망을 불씨를 키웠던 그들.
‘이젠 어디서 찾아야 하나…….’
‘살아 있을 텐데. 살아 있어야 하는데…….’
사건을 접수하고 벌써 2주.
암울한 절망이 그들의 몸을 휘감았다.
오랜만에 느껴 보는 무력감이었다.
이 중 제일 그 감정을 느끼는 건 아무래도 최재수였다. 얼굴을 감싼 최재수는 할 수 있는 모든 걸 했지만, 잡히지 않는 단서에 너무 화가 나고 짜증 나고 미안해서 흐느끼고 있었다.
그 모습들을 보며 씁쓸히 웃은 김종두 과장은 재떨이에

담배를 비벼 끄며 모두 몸을 일으켰다.

짝짝!

"주목!"

의자를 뒤로 젖힌 채 눈을 감고 있던 종혁도 고개만 돌려 김종두를 쳐다봤다.

"전반전은 여기까지다. 다들 집에 가서 오늘 하루 푹 쉬고, 내일 웃는 얼굴로 돌아온다, 실시!"

"……실시!"

"죄, 죄송합니다! 모두 저 때문에……."

형사들은 갑작스레 허리를 숙인 최재수의 들썩이는 어깨를 쓸쓸히 웃으며 두드렸다.

"뭘 네 탓이야. 잘했어. 네가 아니었으면 이거 조직적인 사건일 가능성 제시도 못 했어."

"그래. 네 덕분에 이분들 찾을 확률이 높아진 거다. 그러니 절대 포기하지 말자."

"과장님 말처럼 이제 전반전 끝난 거다. 선수가 인정할 때까지 경기가 끝난 건 아니야. 아자아자, 최재수 파이팅."

"……흐윽!"

마찬가지로 얼굴을 구기며 최재수의 등을 다독인 종혁은 다시 담배를 물려는 김종두에게로 향했다.

"과장님."

"응? 왜?"

"오늘과 내일 저는 좀 개인적으로 움직여도 괜찮겠습니까?"

종혁은 의아해하는 김종두에게 사정을 설명했고, 그는 허탈하게 웃었다.

"넌 뭐 사건이 따라다니냐?"

"하하."

"사무실 분위기를 보면 광수대로 넘기라고 하고 싶지만……."

이미 2주나 이 사건에만 매달렸다.

실종된 이십대 여성들도 중요하지만, 다른 피해자들도 중요하다. 이제 몇몇 인원은 다른 사건을 진행하게끔 해야만 했다.

"내일 택수랑 한 개조 붙여 줄 테니까 최대한 빨리 해결해 봐. 그동안 재수는 내가 데리고 다닐 테니까."

"감사합니다. 충성."

"인사할 시간에 얼른 가서 쉬기나 해, 인마. 너 나이 믿고 몸뚱이 막 굴리다가 금방 골로 간다."

"하하. 과장님도 얼른 들어가서 쉬세요."

종혁은 손을 젓는 김종두를 뒤로하며 집으로 향했고, 김종두는 그런 종혁을 보며 묘한 눈빛을 보냈다.

* * *

종혁이 정혁빌딩으로 들어서자, 입구 옆 경비실에 앉아 있던 삼십대 남성이 일어선다.

"어? 사건을 해결하신 겁니까?"

2주 전에 나간 종혁이 아침 8시에 들어왔으니 그렇게 생각한 것이다.

"잠깐 쉬는 시간이요. 그런데 드미트리 씨는 어디 갔나 봐요?"

707호의 차가 사라졌을 당시 경비를 서고 있던 남성이 드미트리다.

"집안에 일이 있어서 잠시 휴가를 갔습니다."

"저런. 큰일이에요?"

"아버지가 교통사고를 당했다는데, 큰 사고는 아니랍니다."

"에휴. 어쩌다가. 병원비는 제가 낼 테니까 빠른 쾌유를 빈다고 전해 주세요."

"아, 아니……."

"수고하세요."

손을 저으며 집으로 올라온 종혁은 씻자마자 침대에 누워 천장을 봤다.

'흐으음.'

뭔가를 생각하던 그는 다시 고개를 저으며 눈을 감았다. 그동안 멀쩡한 척했지만 많이 피곤했는지 그는 금세 곯아떨어졌다.

파바바바방!

불이 켜지는 지하 2층 주차장.

"……와, 이씨."

"씨부럴?"

사우나에서 한숨 자고 종혁빌딩으로 온 오택수와 형사 두 명은 명품 외제차들의 향연에 정신을 차리지 못했다.

종혁은 그런 그들을 보며 씩 웃었다.

"아무거나 골라잡으세요."

"……종혁아, 대여가 아니라 파는 건 어떻겠니? 형이 싸게 살게."

"보험료가 수백만 원인데 감당할 수 있으세요?"

여차하다 스크래치라도 났다간 천만 원은 기본이다.

"와, 때깔 봐라. 죽이네! 난 이거!"

"그럼 난 이거!"

"보는 눈들 있으시네."

두 형사들이 고른 건 포르쉐와 벤틀리였다.

오택수는 무난하게 벤츠를 골랐다.

부앙! 부아아앙!

신이 나 공회전도 하고, 차 안의 이곳저곳을 살피던 형사들은 이내 크리스마스 선물을 받은 아이처럼 신이 난 얼굴로 종혁에게 뭔가를 던졌다.

"야, 이거 안에 있더라?"

"나도…… 엥? 너 수갑을 여기 있는 차에 전부 넣어 놨냐?"

홀더에 담긴 수갑과 진압봉을 받아 든 종혁은 그제야 머릿속 의문이 하나 해결되면서 탄성을 터트렸다.

"아, 그래서였구나. 이 새끼들이 이걸 발견한 거였구나."

언제 어떤 차를 탈지도 모르고, 언제 수갑이 필요할지 모르기에 보유한 차량 전체에 이것들을 넣어 놨던 종혁.

어째서 자신의 차를 가져가지 않나 싶었는데, 이걸 발견했기 때문인 것 같았다.

"이야, 큰일 날 뻔했네요."

하마터면 작전이 어그러질 뻔했다.

"삼촌들, 굿잡."

종혁은 정신 좀 챙기라며 눈으로 타박하는 그들의 모습에 박수를 쳤다.

"자, 그럼 시작해 봅시다!"

* * *

아직은 한적한 오후 4시의 도로.

이제는 단종된 검정색 소나타 한 대가 도로를 누빈다.

운전대를 잡은 이십대 청년은 라디오에서 흘러나오는 음악을 따라 부르며 전후좌우로 눈을 움직였다.

"살다가! 살다가! 나 살다가-! 크으. 명곡이다, 명곡이야."

삐리링! 삐리링!

핸드프리에 달린 핸드폰이 맹렬하게 울자 청년은 얼른 볼륨을 줄이며 전화를 받았다.

-너 어디야, 새끼야!

"잠시 드라이브 나왔어요. 잠이 와서."

-뭐? 드라이브? 그런 놈이 작업용 차를 가져가? 내가 당분간은 작업하지 말자고 했지?!

"제 차 타고 나오면 기름값 들잖아요."

-얼씨구? 이 새끼 말하는 본새 좀 보소?

청년은 시작되려는 잔소리에 얼굴을 구겼다.

"예, 예. 지금 들어갈게요. 들어가면 되잖아요!"

-얼른 들어와!

전화가 끊긴 핸드폰을 보며 혀를 차며 핸들을 돌릴 준비를 했다. 그때였다.

부과아아앙!

귓가를 강렬하게 때리는 슈퍼카의 소리.

"음?"

고개를 돌렸던 청년은 눈을 부릅떴다.

옆을 지나가는 열정의 붉은색 매끈한 미녀 한 대.

그는 핸즈프리에 붙은 핸드폰을 가져갔다.

-뭐? 왜? 뭐 사 오려고? 그럼 난…….

"사장님, 포르쉐 떴어요."

-……뭐?

"그것도 국내에 세 대 있을까 말까 한 놈입니다."

청년은 어떻게 할 거냐는 물음을 굳이 던지지 않았다.

그렇게 얼마나 기다렸을까.

결국 사장의 결단이 떨어졌다.

-작업해. 씨발, 한 반년 작업 안 하면 되겠지!

"옙!"

씩 웃은 청년은 조심스럽게 포르쉐를 따라붙었다.

그리고.

끼익! 쿠웅!

"헉! 괘, 괜찮으세요?"

"아오, 씨발. 도대체 운전을 어떻게 하는……."

청년 정호는 뒷목을 잡는 삼십대 후반 중년인을 보며 속으로 씨익 웃었다.

이후 일은 일사천리였다.

그리고 다음 날 저녁 12시, 정호는 차키가 달린 열쇠고리를 흔들며 어느 주상복합빌딩의 지하주차장으로 향했다.

"이야. 난 언제 이런 걸 살 수 있으려나."

정호의 경박한 목소리가 지하주차장을 울리자, 함께 온 삼십대 중년인이 한숨을 내쉰다.

"한 십 년 바짝 모으면 살 수 있겠지. 하, 나도 이런 거 하나 사서 월세 따박따박 받으며 살고 싶다."

"쯧. 다른 팀은 벤틀리였다면서요?"

"그놈들이 아주 좋아하는 세단이지. 값을 무려 반 배 더 쳐준다더라. 그쪽 팀만 노났지, 뭐."

"씨불. 우린 그런 거 하나 안 떨어지나. 아, 저기 있…… 씨부럴?"

그들이 타고 갈 포르쉐 옆에 허머가 세워져 있다.

군용차처럼 생겼지만, 그 출생지가 미국이라 때깔부터 다른 최고급 차량. 유리 전체까지 짙게 선팅한 검정색의 묵직한 마초를 보자, 둘은 군침을 질질 흘릴 수밖에 없었다.

정호는 같이 온 중년인을 간절히 봤지만, 중년인은 이를 악물며 고개를 저었다.

"일단 이거부터."

"……씨불."

아쉬움에 한숨을 푹푹 내쉰 정호는 포르쉐를 향해 가지고 온 차키를 내밀었다.

삐빅! 탁탁! 부르릉!

"다음에 꼭 보자, 아가씨."

정호는 그 말을 남기며 차를 출발시켰다.

과우웅!

포르쉐가 굉음을 남기며 주차장을 빠져나갔다.

그리고 잠시 후, 허머의 트렁크가 열리며 종혁이 빠져나왔다.

담배를 입에 문 그는 포르쉐가 사라진 방향을 보며 옅게 웃었다.

"그렇지. 개가 똥을 참지. 뭐해요? 일어나세요. 자요?"

"어우. 역시 차가 고급이라서 그런지 트렁크도 겁나 편하네. 야, 나도 담배 하나만."

"진짜 좀 사서 피웁시다."

"몰라. 마누라 지갑 사 줘서 내 지갑은 빵꾸 났어."

변명도 참 가지가지였다.

포기한 종혁은 이내 담배를 물려 줬고, 그렇게 한 대를 느긋이 핀 둘은 그제야 차량에 올랐다.

운전석에 오른 종혁은 옆에 장착된 위치 추적기를 켰다.
오늘을 위해 특별히 나탈리아에게 빌린 군용 GPS 추적기.
오차 범위 1미터의 무지막지한 놈이다.
"저쪽도 출발했단다."
"아, 그래요? 그럼 우리도 출발해야죠. 가는 길에 휴게소 있으면 우동 콜?"
"우동 좋지."
긴장이라곤 단 한 점도 찾아볼 수 없는 둘.
사람들은 이런 둘을 가리켜 베테랑이라고 불렀다.

* * *

콰르륵!
인천 쪽의 한 야산.
비포장길을 달린 포르쉐 한 대와 소나타 한 대가 한 거대한 창고 앞에 멈춰 선다.
조명은커녕 소음 하나 나지 않는 적막한 창고 앞마당엔 거대한 트레일러트럭 3대가 세워져 있다.
새벽이다 보니 귀신이 나올 것처럼 음산한 분위기.
그에 청년 정호는 핸들 옆에 달린 것들을 조작했다.
달칵! 달칵! 달칵! 빵빵!
세 번 깜빡인 하이빔과 두 번의 경적 소리에 창고가 깨어나기 시작했다. 정호는 구르르릉 소리를 내며 문이 열리는 창고 안으로 차를 몰고 들어갔다.

그런 창고 안에는 이십여 명의 사람이 있었다.

키이이잉! 치이이익!

번호판을 교체하거나 훔쳐 온 차량을 다른 색으로 도색을 하는 이들.

차에서 내린 정호는 다가오는 오십대 장년인에게 차키를 내밀었다.

"3팀이지? 오느라 수고했어. 미행은?"

"없었습니다."

10초 이상 정차도 하고 속도를 줄였다 높이기도 했지만, 누군가 따라온다는 건 느끼지 못했다.

"알았어. 올라가서 회포 풀고 가. 다른 팀들도 와 있으니까."

"헤헤. 넵! 형님, 가요."

정호와 함께 온 중년인은 계단을 통해 위로 올라갔고, 남겨진 오십대 장년인은 포르쉐를 보며 눈을 빛냈다.

"미쳤네, 이거."

지난 3년간 이 장사를 했지만, 몇 번 못 본 매끈한 미녀.

"하. 이걸 팔아야 한다니……."

차를 좋아하는 남자로서 울고 싶은 심정이었다.

하지만 비즈니스가 먼저였다.

오십대 장년인은 근처의 사내에게 키를 던졌다.

"예쁘게 치장해서 조심히 실어 놔. 이거 기스라도 나는 순간 네가 십 년을 일해도 못 갚으니까."

"예, 옙!"

고개를 끄덕인 몸을 돌린 장년인은 방금 전 정호들이 오른 계단을 오르기 시작했다. 그런 그는 사타구니를 주무르며 음흉하게 웃고 있었다.

한편 국도에서 옆으로 빠지는 샛길 앞에 선 종혁은 GPS 추적기를 힐끔 보고 핸드폰을 들었다.

"과장님, 어디세요!"

–다 와 가! 1분!

정말 그 말이 거짓이 아니라는 듯 1분 후 십여 대의 차량이 종혁의 차 뒤에 선다.

그러며 차에서 내리는 특수범죄수사과 형사들.

탁! 탁!

"여기야?"

"GPS 추적기가 가리키는 곳이니까 맞겠죠?"

놈들이 가다 서다 반복했지만, 아무런 문제는 없었다.

"그래?"

희뿌연 담배 연기가 새벽의 어둔 밤 속에서 흩날린다.

"하, 새끼들. 지랄 맞은 곳에도 숨어 있다. 어디 도심지에 숨으면 좀 좋아?"

"그럼 제대로 숨지 못하잖아요."

"그건 맞지."

고개를 끄덕인 김종두 과장은 뒤를 봤다.

"자, 후딱 끝내고 뜨끈한 국물에 소주 한잔 걸치러 가자!"
"옙!"
다시 차에 오른 그들은 이내 샛길 안으로 빠르게 진입했다.
그런 그들에게 나타난 거대한 창고.
창문을 내린 상태임에도 소음 하나, 불빛 하나 없는 을씨년스런 창고의 분위기에 모두 미간을 좁힌다.
–칙! 이 새끼들 눈치 깐 거 아니야?
–씨발. 다들 창고 포위하고 절단기 꺼내! 쥐새끼 한 마리라도 도망가게…….
"다들 내리지 마세요. 다칩니다."
–엉?
"너?"
어느새 든 무전기를 내려놓은 종혁은 화들짝 놀라는 오택수의 반응을 무시하며 액셀을 강하게 밟았다.
부아아아아앙!
"야, 이 개새끼야–!"
"안전띠 맸죠?"
"씨발놈아–!"
손잡이를 비명을 지르는 오택수는 어느새 코앞까지 다가온 창고 문에 눈을 질끈 감았다.
그리고.
콰아아아앙!
문을 부수며, 아니 뚫고 들어간 허머.

카가각 소리를 내며 멈춰 선 허머에서 내린 종혁은 목을 좌우로 꺾으며 앓는 소리를 냈다.

"어우, 죽겠다."

그래도 차가 좋아서 그런지 버틸 만했다.

종혁은 멍하니 이쪽을 바라보는 이십여 명의 사람들을 향해 허리춤에서 꺼낸 수갑을 던졌다.

차르르.

그들의 발치 앞에 멈춰 선 수갑.

"……?"

종혁은 의아해하는 그들을 향해 씩 웃었다.

"뭐하냐? 안 차고?"

"……짭새다!"

"죽여!"

단숨에 상황 파악을 끝내며 달려드는 그들.

뚜두둑.

어깨를 푼 종혁도 그런 그들을 향해 달려들었다.

"오랜만에 몸 좀 풀어 보실까!"

그리고 종혁의 시간이 급격히 느려지기 시작했다.

물속을 유영하듯 느린 시간 속에 단숨에 짓쳐 든 종혁은 가장 먼저 달려드는 놈이 휘두르는 렌치를 피하며 그 얼굴에 주먹을 꽂아 넣었다.

콰드득!

코가 뭉개지며 놈의 광대에 주먹이 닿는 게 생생히 느껴진다.

'그래, 이거지!'

그동안 너무 풀지 않아서 녹이 슬었으면 어쩔까 걱정했는데 기우였던 것 같다.

"일단 한 놈!"

"죽어!"

사납게 웃은 종혁은 자신을 향해 칼을 뻗는 사내의 손목을 후려치곤, 놈의 무릎을 전력으로 밀어 차 버렸다.

"넌 칼 들었으니까 병신 확정!"

뿌드으으윽!

꺾이지 말아야 할 방향으로 무릎이 꺾이면서 무너지는 놈을 보던 종혁은 그대로 몸을 뒤틀며 손바닥을 휘둘렀다.

쩍!

턱에 불꽃 싸다구를 맞고 정신을 잃고 쓰러지는 이를 일견한 종혁은 더 사납게 웃으며 포효했다.

"씨발, 다 덤벼-!"

"저 새끼 죽여-!"

이십여 명의 사람들이 오직 종혁만 노리고 달려들었다.

"와아아아악!"

"죽여! 제발 누가 저 새끼 좀 죽여!"

난리도 보통 난리가 아닌 광경.

"어후, 저 미친 새끼."

차에서 목을 잡고 내린 오택수는 맹수보다 더 흉포하게 날뛰는 종혁을 보며 질려 버렸고, 김종두 과장도 고개를 설레설레 저었다.

4인조 망치 빽치기 사건, 아니 그 전에도 알아보긴 했지만 역시 고삐를 잡지 않으면 위험한 놈이다.

"그래도 이런 상황 아니면 고삐를 놓지 않는 믿음직한 놈이지."

그래서 얼마나 든든한지 몰랐다.

담배를 문 김종두는 2층에서 달려 내려오는 일단의 무리를 보고 형사들을 향해 일갈했다.

"뭣들 해! 베테랑이란 새끼들이 종혁이한테 다 뺏길 거냐?!"

"어휴. 네, 네. 갑니다, 가. 아주 종혁이라면 껌뻑 죽지."

"어디 보자. 한 놈, 두시기, 석삼, 너구리…… 어우. 오늘 몸 좀 제대로 풀겠는데?"

"종혁아-! 같이 놀자! 너만 즐기지 말고, 시끼야!"

"다들 저 새끼 죽여-!"

"우와아아아아!"

그렇게 형사들도 이 난장판에 참전했고, 담배 연기를 길게 뿜은 김종두는 난생처음 겪는 상황인지 얼어붙어 있는 최재수의 엉덩이를 걷어찼다.

"너도 가, 시키야."

"어어어?"

"넌 또 뭐야!"

"헉! 이런 씨발!"

"죽어!"

"재수야-! 칼 맞지 말고! 대가리 알아서 보호하고! 그럼 산다!"

김종두는 물고 있던 담배를 던지며 옆에 세워진 쇠파이프를 들었다.

"그럼 나는 막아 보실까?"

종혁이 뚫고 들어오면서 퇴로가 되어 버린 공장의 거대한 문.

김종두는 오늘 장판파의 장비가 되기로 했다.

* * *

"아윽!"

"으으윽!"

"시끄러워, 이 새끼들아. 시끄러워."

빡! 빡!

무릎이 꿇려진 채 앓는 소리를 내던 대포차 조직 일당들이 저마다 뒤통수를 얻어맞고 입을 다문다.

"아오, 씨발. 이거 비싼 건데."

"어? 형님, 대가리에서 피나는데요?"

"됐어. 이따가 침 바르면 나아."

"재수야, 괜찮냐? 누구야! 누가 우리 막내 얼굴을 이꼴로 만들어 놨어! 안 그래도 못난 얼굴인데!"

"저, 저 얼굴은 안 맞은……."

"어떤 새끼야! 나와—!"

진압을 하는 중 다친 곳이 생겼는지 확인하는 형사들을

일견한 종혁은 그 와중에 두 놈을 때려눕힌 김종두를 향해 아직도 현역이라며 엄지를 치켜세웠고, 김종두는 그런 종혁을 보며 고개를 저었다.

이 자리에 무릎 꿇려진 28명 중 13명을 종혁 혼자 박살냈다.

"미친놈."

히죽 웃은 종혁은 어슬렁거리며 1층을 둘러보다 감탄을 터트렸다.

벤츠, 아우디, BMW, 볼보 등 온갖 명품 외제차가 무려 10대나 재단장을 하고 있다.

이놈들의 규모가 크다는 걸 새삼 깨닫게 된다.

'여기 있는 놈들이 전부가 아니야.'

겨우 정비소 두 곳에서 이 차들을 모두 훔쳤다?

말이 안 된다. 다른 팀이 있다는 거다.

실제로 2층에서 내려온 놈들 중 반 이상은 모르는 얼굴이었다.

"저놈들 이상으로 더 있을 수 있어."

운이 좋게 이놈들 조직의 조직원들이 이 자리에 다 모였다고 보긴 힘들다. 종혁은 그 단서를 찾기 위해 1층 이곳저곳을 뒤지기 시작했다.

그러다 결국 발견할 수 있었다.

"과장님!"

종혁의 외침에 의아해하며 다가온 김종두는 한구석에 널브러지듯 쌓여 있는 번호판을 보고 혀를 내둘렀다.

"와, 이 새끼들. 대체 뭘 얼마나 해 먹은 거야?"

대충 봐도 이백 개가 넘는다.

수천만 원, 여차하면 1억을 가볍게 넘기는 고가의 외제차들.

피해액이 어림잡아도 100억을 넘긴다.

종혁 덕분에 가볍게 놈들을 추적했기에 별생각이 없었는데, 어마어마하게 큰 사건이었다. 종혁도 동감이라는 듯 고개를 끄덕이며 번호판을 발로 툭툭 걷어찼다.

그러다.

"어?"

"음?"

종혁뿐만 아니라 김종두도 딱딱하게 굳어 버린다.

'이, 이게 왜 여기 있지?'

하지만 그것도 잠시다.

"하, 이 개새끼들."

천장을 보며 머리를 쓸어 넘긴 종혁의 몸이 부들부들 떨린다.

'왜 무시했을까.'

왜 촉이 섰음에도 무시했을까.

"왜!"

녹색 번호판, 3785.

서울경기 이십대 여성 실종 사건, 주택가로 진입해 사라진 승합차의 번호판이었다.

이 순간 모든 톱니바퀴가 맞물려 버렸다.

그리고 그 순간.

"과, 과장님!"

반사적으로 고개를 돌린 종혁은 머릿속에서 뭔가가 끊기는 걸 느꼈다.

모포로 몸을 두른 채 2층 계단을 내려오는 여섯 명의 여성들.

구타 흔적이 가득하고, 머리도 가위로 아무렇게 자른 듯한 여성들의 사이에 실종자 이경미 씨가 있다.

"과장님! 여기 트레일러가 이상합니다! 안에 승용차가……!"

"하하."

웃음을 흘린 종혁은 몸을 돌렸다.

오싹!

2층을 보자마자 굳었던 고개를 돌린 김종두는 범인들이 있는 곳을 향해 흐느적거리며 걸어가는 종혁을 보곤 어떤 공포를 느꼈다.

"자, 잡아……."

"예?"

"종혁이 잡으라고-!"

* * *

붉은빛 조명이 내려쬐는 작은 방.

한 삼십대 남성이 얼굴 여기저기에 멍이 든 한 여성의 가슴을 주무른다.

그러나 여성은 벌벌 떨기만 할 뿐 뿌리치지 못한다.

그때는 주먹이 날아올 수 있기에.

이 남자들은 그런 폭력을 너무도 쉽게 휘두르기에.

남성의 손이 깊은 곳으로 들어오려고 할 때 몸을 비트는 게 그녀가 할 수 있는 유일한 반항이었다.

하지만 그것도…….

“너희는 진짜 운 좋은 줄 알아야 해. 너희야 이렇게 좀 맞는 걸로 끝이지만, 팔려 나간 애들은 도망 못 가게 발목이 잘리고, 어?”

철렁!

심장이 내려앉고, 몸이 굳는다.

반항의 의지가 사라진다.

“아, 술맛 떨어지게 왜 그딴 소리를 해?”

“그런가? 뭐, 그냥 그렇다고. 자, 한 잔 줘야지?”

활짝 웃는 남성의 미소에 여성은 벌벌 떨리는 손으로 병을 든다. 남성의 손이 팬티를 젖히고 들어오지만, 다리를 벌린다.

그건 맞은편에서 유린당하던 여성도 마찬가지다.

‘어, 엄마…….’

눈이 마주친 두 여성은 눈을 질끈 감으며 서로를 외면했다.

그때였다.

꽈아앙!

큰 소리와 함께 건물이 흔들린다.

"뭐, 뭐야!"

-우와아아아!

갑자기 시끄러워진 아래층.

"……씨발!"

서로를 본 두 남성은 자리를 박차고 밖으로 달려 나갔다.

"뭐야! 무슨 일이야!"

"몰라! 일단 튀어 가!"

시끄러워진 복도.

쾅!

닫힌 문을 보던 여성들은 그제야 서로를 향해 손을 뻗는다. 서로를 끌어안고 나서야 느껴지는 온기에 눈물을 흘린다.

'누, 누가 제발 우리 좀…….'

간절히 바라지만, 결코 닿지 못한 소원.

둘은 그렇게 서로를 의지하며 서로를 달랬다.

그렇게 얼마의 시간이 흘렀을까.

어느새 조용해진 건물에도 그저 서로만 끌어안고 있던 여성들은 덜컹덜컹 흔들리는 문에 어떻게든 버티자 눈으로 이야기하며 서로에게서 떨어졌다.

그때였다.

벌컥!

문이 열리며 쏟아지는 하얀빛.

눈이 부셔 고개를 돌렸던 여성들은 이내 곧 믿지 못할 단어를 듣게 됐다.

"박 형사님-!"

'형사?'

그녀들은 우르르 쏟아져 들어와 한탄을 하는 남자들, 아니 형사들의 모습에 다리에 힘이 풀려 주저앉고 말았다.

* * *

"막으라니, 대체 왜……"

의아해하며 종혁을 본 형사들은 기겁했다.

심장을 파고드는 끔찍한 살의가 느껴지는 눈.

'내 사건이 아니라고 무시한 건가? 아니면 회귀 전 실종으로 끝나서 외면한 거냐?'

왜 가능성을 외면했을까.

이상하다고 생각했으면서도 왜 무시한 걸까.

화가 났다.

다른 누구도 아닌 자기 자신에게.

전력을 다해 의심하고 또 의심하지 않은 자신에게.

그리고 이런 끔찍한 짓을 태연하게 저지른 저 악마들에게. 인간이 아닌 짐승들에게.

눈앞이 흐려질 만큼 분노가 솟았다.

"조, 종혁아! 진정해…… 큽?!"

종혁의 어깨를 잡은 형사가 업어치기로 빙글 돌아간다.

"이 새끼…… 헉!"

쿠웅!

한 팔 감아 메치기로 바닥에 내리꽂힌다.

다리를 걸고, 송곳처럼 찔러 오는 주먹을 휘감아 던져 버리고.

결국 오십대 장년인 앞에 선 종혁은 뭔가 이상함을 직감하고 두려움에 떠는 놈의 턱을 구둣발로 후려쳤다.

뿌거억! 쿠당탕!

"……응어어어!"

피와 함께 하얀 알갱이들이 비산한 입을 감싸 쥐며 바닥을 구르는 늙은 벌레 한 마리.

종혁은 그런 그를 무심히 바라보며 그 목을 향해 발을 들었다.

'죽일까?'

인간 같지도 않은 괴물들에게 살 가치가 있을까.

죽일까 말까 곰곰이 생각하던 종혁은 고개를 끄덕였다.

'그래. 한 놈쯤이야, 뭐.'

결정을 내린 그대로 발을 내리꽂았다.

그때였다.

"흡?!"

종혁은 다급히 양팔을 얼굴 앞에 교차했다.

그리고 곧바로 하나의 발이 그 가드를 후려쳤다.

퍼어억!

주춤 물러난 종혁은 발을 수습하는 오택수를 봤다.

담배를 문 채 비릿하게 웃는 그.

"진정해, 새끼야. 이딴 새끼 죽이고 깜빵 갈래? 재수 형사 안 만들 거야?”

겁을 먹었는지 파랗게 질려 있던 최재수가 억지로 의연하려 가슴을 편다. 그 모습에 왠지 웃음이 나왔다.

“……최 순경은 오 경위님이 만들어야죠.”

“뭐 인마? 파트너끼리 이러기냐?”

“흐흐. 푸후우…….”

마른세수를 한 종혁은 몸을 돌려 형사들을 향해 허리를 깊게 숙였다.

“죄송합니다! 제가 잠시 눈깔이 돌았습니다-!”

“……어우. 씨발, 깜짝아. 오케이! 그럴 수 있어!”

“내 대신 그래 줘서 땡큐!”

“사과했으니 오케이!”

걱정 말라는 듯 손을 젓는 형사들을 모습에 가슴이 술렁인 종혁은 다시 허리를 굽혀 사과하곤 장년인에게 다가가 머리를 움켜쥐었다.

“야.”

“으어어.”

“딱 한 번만 묻는다. 납치한 여성들 어디로 보냈냐.”

종혁의 눈이 다시 살의로 번들거렸다.

5장. 왜 또 너희지?

왜 또 너희지?

구우우웅!

하루 온종일 울리던 뱃고동 소리마저 잠잠해지는 새벽의 인천항.

모두가 잠든 시간이라서 개미가 기어가는 소리마저 크게 울리는 그곳을 커다란 트레일러 세 대와 자동차 두 대가 가로지른다.

유일하게 불이 켜진 커다란 선박 앞에 멈춰 선 차들에서 일단의 사람들이 내려 선박을 향해 플래시 불빛을 깜빡인다.

그러자 선박에서도 불빛이 깜빡였고, 곧 남성 다섯 명이 선박을 내려온다.

"음? 오! 박 사장!"

"장 사장! 니하오! 니하오!"

"니하오!"

양측 선두에 선 사십대 남성들이 서로를 얼싸안으며 등을 두드린다. 그리고 떨어진 사내 중 중국인 중년인이 눈을 가늘게 뜬다.

"그런데 유 회장은 어디 갔소?"

언제나 유 회장이 거래를 해서인지 중국인들의 몸이 굳는다.

"갑자기 맹장이 터져서 제가 대신 나오게 됐습니다."

"저런. 빠른 쾌차를 비오."

"그렇게 전해 드리겠습니다. 그럼 물건을 확인해 보시겠습니까?"

"흠. 원래 형제끼리는 믿는 법인데……."

중국인의 눈이 더 가늘어지자 박 사장은 피식 웃었다.

"회장님께서 비즈니스는 확실해야 된다고 당부하셨습니다."

"……역시 유 회장이군. 역시 한국인은 철두철미해."

그제야 의심을 버린 듯 씩 웃은 장 사장은 가까이 있는 트레일러의 뒤로 향했다.

덜컹, 끼이익!

거친 소리를 내며 열리는 컨테이너 안을 본 장 사장은 눈을 부릅떴다.

"포, 포르쉐!"

"그 뒤에는 벤틀리입니다."

"베, 벤틀리! 하, 하오! 하오-!"

장 사장의 얼굴이 흥분으로 물든다.

“이거라면 우리 고객들도 무척이나 만족할 것이오!”

전 세계를 상대로 시장을 개방한 이후 급격하게 늘어난 중국 졸부들.

하지만 완전한 개방이 아니라 명품 차는 물론이고, 명품 패션 브랜드 등 많은 게 없다시피 해서 마땅히 돈 쓸 곳이 없어서 발만 동동 구르는 그들.

그런 그들의 취향을 제대로 저격하는 특상품이었다.

장 사장은 유 회장이 나오지 않은 것 따윈 금세 잊어버리고 말았다.

“이번에도 정말 수고하셨소!”

박 사장의 손을 뜨겁게 움켜쥐었던 장 사장은 손가락을 튕겼다.

따악!

그 신호에 뒤에서 걸어 나온 사내들이 양손에 든 서류 가방을 내려놨다.

“이번에도 세탁을 모두 끝낸 한국 돈과 금이요. 확인해 보시오.”

박 사장은 뒤를 힐끔 봤고, 이내 곧 덩치 큰 사내가 걸어 나와 가방 안 내용물을 살피다 고개를 끄덕였다.

박 사장은 싱긋 웃으며 손을 내밀었다.

“좋은 거래였습니다.”

“나도 좋은 거래였소. 아, 그런데 이제 여성들은 취급 안 하는 거요?”

"……죄송합니다. 요새 단속이 너무 심해져서 여자 근처도 접근하지 못합니다."

"저런. 한국 여자들이 예쁘고 나긋나긋해서 고객들에게 인기가 많은……."

철컥!

"응?"

장 사장은 이게 뭐냐는 듯 손목에 채워진 은색 고리와 그 고리를 쥐고 있는 덩치 큰 사내를 봤다.

하지만 정작 그가 보게 된 건 얼굴로 날아드는 거대한 주먹이었다.

"증언 확보다, 이 짱개 새끼야."

쩌어어억!

장 사장의 턱주가리는 맥없이 돌아갔고.

팡! 팡팡팡!

웨에에에에엥!

그들이 있는 공간에 불이 켜졌으며, 수십 대의 경찰차가 사이렌을 울리며 달려오기 시작했다.

그리고 바다에서도 해경들이 배를 몰며 선박을 향해 다가와 갈고리를 걸기 시작했다.

그와 동시에 품에서 권총을 꺼내는 박 사장 패거리. 아니, 특수범죄수사과 형사들.

"엎드려! 엎드려, 이 새끼들아!"

"……."

얼굴을 구긴 중국인들은 양팔을 뒤로 하며 바닥에 엎드

리는 수밖에 없었다.

두 개였지만, 알고 보니 한 개였던 이번 사건.

중요 관계자들이 모두 검거되는 순간이었다.

* * *

"왜 또 이 새끼들일까?"

그 조직 놈들이 도망친 곳도 중국.

아르헨티나에서 나탈리아, 헨리와 이야기를 나눈 곳도 중국.

이번 사건의 공범도 중국이었다.

이 정도면 중국과 뭐가 있어도 있다고 봐야 했다.

'하. 중국이랑 엮여서 좋은 꼴 본 적 없는데.'

"이거 굿이라도 해야 되나?"

종혁은 취조실 책상의 맞은편에 앉은 장 사장이란 놈을 보며 심드렁히 말했고, 그에 장 사장은 코웃음을 쳤다.

"뭐라는 거야? 중화어로 말해라, 자라 같은 놈아."

빠직!

자라. 중국에선 제아무리 친한 사이라도 하지 말아야 할 욕이다.

"그래. 내가 이래서 너희가 싫어. 좆도 아닌 새끼들이 대가리만 꼿꼿이 세우거든."

의자를 뒤로 밀며 일어난 종혁은 손목을 털었다.

그 심상치 않은 분위기에 장 사장의 얼굴이 굳었다.

"내 뒤에 누가 있는지 알아? 지금이라도 날 풀어 주는 게 좋을 거야!"

이번엔 종혁이 코웃음을 쳤다.

"아이고. 그러세요, 선생님? 야, 내가 중국어를 다 할 줄 알거든요? 근데 하기가 싫어. 그러니 일단 맞자."

그 말을 끝으로 종혁은 허공을 날아 장 사장의 가슴을 걷어찼다.

퍼어억!

취조실 밖, 종혁의 취조를 지켜보던 김종두 과장은 옆 형사를 툭툭 쳤다.

"뭐해? 카메라 꺼."

"아, 예."

"그리고 종혁이 진정하면 나오라고 해. 저러다 늙은 놈 잡겠다."

"하하, 옙."

"하여튼 저 또라이 새끼. 저건 왜 지 나이에 안 맞게 저렇게 지랄이야?"

꼭 사, 오십대 베테랑 형사를 보는 것 같은 느낌.

고개를 절레절레 저은 김종두는 취조실을 빠져나갔고, 취조실 안엔 구타 소리와 비명 소리만 울려 퍼졌다.

"아오, 독한 새끼."

피투성이가 된 주먹을 씻던 종혁이 혀를 찬다.

입을 열지 않고는 버틸 수 없을 만큼 팼는데도 입을 꾹 다문다. 제대로 된 독종이란 뜻이었다.

결국 알게 된 건 서울경기 지방에서 여성들을 납치한 놈들의 범행 수법뿐이다.

여성들을 납치해 클로로포름 같은 마취제로 기절시킨 후, 정비소에서 빠르게 굳는 페인트로 차량을 도색하거나 래핑을 벗긴 후 번호판까지 교체해 유유히 사라진 놈들.

'이러니 놓칠 수밖에 없었지.'

혀를 찬 종혁은 다시 장 사장이란 놈에 대해 생각했다.

"문신을 보면 그쪽 애들이 확실한데……."

팔뚝에 있던 검은 뱀 문신.

중국의 악명 높은 조직, 흑사회다.

하지만 이게 참 웃긴 게 이 흑사회는 어느 특정 조직을 일컫는 단어가 아니다.

땅이 넓기가 미친 듯 넓은 중국.

사천 성도에도 흑사회가 있고, 청도섬이나 흑룡강성에도 흑사회가 있다.

그냥 각 성마다 흑사회가 있다고 봐야 한다. 이들 모두 하나의 조직이 아니라 각자 별개의 조직이다.

"말투를 들어 보면 광동 쪽인데……."

놈들이 어디서 왔는지를 모르니 미치고 팔짝 뛸 노릇이다.

그런데 이렇게 장 사장이란 놈이 버티면 버틸수록 팔려 간 이십대 여성들을 찾기가 요원해진다.

어떻게든 장 사장의 입을 열게 해야 된다는 것이다.

뿌드득!

"그래. 누가 이기나 보자."

일단 놈을 잡은 이상 시간은 많다.

종혁은 그동안 이놈이 계속 입을 다물 순 없을 거란 것에 전 재산을 걸 수 있었다.

아니, 그렇게 만들어야 했다.

그렇게 굳게 다짐을 한 종혁은 손에 흥건한 물기를 털며 사무실로 복귀했다.

그때였다.

"예?! 그게 무슨 말입니까! 송환이라니요!"

듣는 순간 불길함이 가득 느껴지는 단어, 송환.

종혁은 눈을 부릅뜨며 일어나 있는 김종두를 봤다.

"부청장님! 부청장님! 이런 씨발……!"

전화기를 집어 던진 김종두는 씩씩거리다 종혁을 발견하고 얼굴을 구겼다.

"야, 최종혁!"

"……예!"

둘은 바닥을 박차며 경찰청장실로 향했다.

* * *

빼엉!

"안 된다니까요!"

경찰청장실의 문을 걷어차며 난입한 간 큰 놈이 누군가

해서 고개를 들었던 최기룡 청장은 한숨을 폭 내쉬며 둘을 말리는 경찰에게 손을 저었다.

"커피 마실래, 녹차 마실래?"

"청장님!"

"일단 진정하고 앉아."

종혁과 김종두는 불만이 가득한 얼굴로 소파에 앉았고, 최기룡은 커피 세 잔을 손수 탔다.

곧 청장실에 달콤한 커피 향이 가득 찼다.

그들의 맞은편에 앉은 최기룡은 얼굴을 구겼다.

"일단 나도 지금 이 상황이 정말 좆같으니까 잔말 말고 들어. 특히 최종혁. 종부님께 이르면 너 죽고 나 죽는 거다."

화가 잔뜩 난 그의 얼굴에 종혁과 김종두의 화가 조금 누그러졌다.

"대체 뭐 때문입니까?"

"뭐겠냐. 딜이 들어온 거지."

종혁은 눈을 가늘게 떴다.

"핫라인입니까?"

"그럴 리가. 뭔 정치 서열 오십 몇 위라는데…… 이 양반하고 우리나라 대기업들하고 좀 얽힌 게 있나 봐."

"……설마 공장이나 플랜트 수주 같은 게 얽힌 겁니까?"

"뭐 그런 거겠지. 일단 나 방금 전에 삼전 회장이랑 대현 회장에게 전화 받았다."

종혁은 헛웃음을 터트렸다.

'삼전이랑 대현?'

"아, 이거 개 같네?"

'그냥 망하게 해 버릴까?'

둘 모두는 힘들겠지만, 하나 정도를 망하게 하는 건 가능하다.

그렇게 되면 숨기고 있던 진실이 모두 드러날 테지만 말이다.

"씁. 나 청장이고, 어른이다."

"……아, 죄송합니다."

"이야, 불과 얼마 전까지만 해도 우리나라에게 경제 원조를 받던 새끼들이 많이 컸네요."

김종두가 툴툴거리자 최기룡은 씁쓸히 웃었다.

"대가리 수가 어마어마하잖냐. 아무튼 이렇게 됐으니까 둘 다 좀 이해는 하자. 그리고 특수에서 특진할 사람 3명 뽑고. 김 과장이랑 최재수 순경 빼고 3명이야. 종혁이 넌 내년에 진급이니까 좀 참고."

최기룡 청장은 이번 사건의 사안이 워낙 크기도 했고, 그동안 특수범죄수사과가 해결한 대형 사건이 많았기에 그렇게 하기로 했다는 말을 덧붙였다.

하지만 종혁과 김종두는 얼굴을 와락 구겼다.

꼭 이거 먹고 떨어지라는 것 같지 않은가.

아니, 그게 맞았다.

'누가 이딴 일로 진급시켜 준다면 좋아할 줄 알고?!'

그 어떤 형사라도 좋아하지 않을 일이다. 그게 설혹 특진 대상자라도.

"그럼 피해자들은요?"
종혁은 눈을 번들거렸다.
놈을 송환시키는 거 참을 수 있다. 거국적인 일이라니 어떻게든 이해는 할 수 있다.
하지만…….
"지금도 고통 받으며 경찰을 기다리고 있을 피해자들은요! 그 사람들을 포기하자는 겁니까?!"
김종두도 눈을 번들거리며 최기룡을 노려봤다.
그에 최기룡은 이를 드러냈다.
"나 못 믿냐, 새끼들아?"
심장이 떨릴 만큼 분노 어린 음성.
"그쪽에서 책임지고 찾아서 돌려보내 준다고 했으니까 걱정 마! 그게 아니었으면 나도 이런 거 허락 안 했어! 왜 이래?!"
짜증이 가득한 일갈이 경찰청장실을 꿰뚫자 종혁과 김종두의 입은 다물어졌다.
"어흠. 뭐, 그런 거라면……."
보내도 된다.
김종두의 입술이 꿈틀거린다.
특진이다. 이제야 그 기쁨이 치솟는다.
그러나 종혁은 조심스러웠다.
"피해자들 송환 후에 놈을 송환하는 거죠?"
중국이라면 보내 준다고 해 놓고 입을 닦을 수도 있다.
"그래! 이제 됐냐?! 이 새끼들, 가만 보면 날 뭔 호구

병신으로 보더라? 야, 이 개새끼들아!”

됐다. 그거면 이 끓는 속도 어느 정도 달랠 수 있다.

“어흠. 그럼 수고하십쇼! 가, 가자.”

“충성!”

“이젠 봐도 밖에서 보자. 제발이다, 이 문둥이 잡것들아!”

“충성.”

혹여 찻잔에 맞을까 황급히 경찰청장실을 나온 둘은 옥상으로 향했다.

“하…….”

“후우…….”

둘은 한숨을 길게 내뱉었다.

피해자들도 온전히 돌아올 거고, 자동차도 돌아올 테고, 특진도 하지만 이렇게 기분이 더러운 이유는 결국 장 사장이란 놈을 풀어 줘야 하기 때문이었다.

형사 생활을 하다 보면 참 많이 겪게 되는 이런 상황.

그렇게 많이 겪었으면 익숙해질 법도 한데 그러지 못하는 건 고통받고 망가진 피해자들 때문일 것이다.

종혁은 담배를 물었다.

가슴이 답답해 담배를 피우지 않으면 견딜 수가 없었다.

그건 김종두도 마찬가지인 듯했다.

“아 씨, 안 되겠다. 야, 그 새끼 얼마나 팼냐?”

“죽으면 안 되니까 적당히 팼어요. 아, 이럴 줄 알았으면 그냥 죽여 버릴걸.”

“오케이. 넌 좀 머리 식히고 와라. 그 새낀 내가 죽여 버릴 거니까.”

특진은 특진이고, 이건 이거다.

몇 대 팬다고 해서 결정된 진급이 없어지진 않는다.

“피해자들 귀국할 때까지 시간 좀 걸릴 테니까 적당히 패세요.”

“걱정 마, 인마. 내가 너냐? ……그리고 고맙다.”

“음? 뭘요?”

“다, 인마. 다.”

종혁 덕분에 본청에 올 수 있었고, 또 이렇게 종혁 덕분에 진급을 할 수 있게 됐다. 나이가 오십대 중반을 넘어가면서 더 이상의 진급을 포기했던 김종두 과장.

“네가 진짜 내 보배다, 종혁아.”

“……예. 저도 사랑합니다.”

둘은 서로를 뜨거운 눈으로 쳐다봤다.

그러다 괜스레 쑥스러워진 김종두는 적당히 피우고 내려오라는 말을 남기며 도망치듯 옥상을 내려갔고, 그 모습을 빤히 보던 종혁은 푸흐흐 웃었다.

하지만 그것도 잠시다.

종혁은 핸드폰을 들었다.

“박 이사, 납니다.”

박태규. 이렇게 일적으로 전화하는 건 정말 오랜만인 것 같다.

종혁의 눈이 시리도록 차갑게 얼어붙었다.

“삼전이랑 대현, 조리돌리기 가능합니까? 주가를 한

30퍼센트 정도 뺐으면 하는데."

—……재밌겠군요. 안 그래도 요새 흥미진진한 일이 없다 느끼던 차였습니다.

아르헨티나의 일도 너무 순항 중이라서 정말 심심하던 차였다.

—언제까지 해 드리면 될까요?

"최대한 빨리. 가능하겠습니까?"

—열흘 후에 신문을 보시면 될 겁니다.

그 말을 끝으로 전화는 끊겼고, 종혁은 가슴 깊이 빤 담배 연기를 뿜어냈다.

"공장? 플랜트?"

이에 연상되는 단어로는 매출 상승, 일자리 창출 등이 있다.

하지만.

"좆까."

기업 따위가 경찰에 압력을 넣는 순간 종혁 본인의 적인 거다.

어떤 변명을 가져다 붙여도 그래선 안 되는 것이다.

종혁은 핸드폰을 들어 다시 전화를 걸려고 그랬다.

그 순간이었다.

—지치고 힘들 땐…….

"나탈리아?"

—잘 지냈나요, 최?

"딱 20분 전까진 잘 지냈습니다."

―저런. 그런 하찮은 버러지 때문에 마음이 상하면 안 되죠.

"……아하핫."

―곧 도착할 내 선물이 당신의 기분을 풀어 줬으면 좋겠네요, 나의 친구.

"우리 술 마신 지 꽤 오래됐죠?"

―데이트 신청이신가요? 설레는걸요?

"제가 풀코스로 쫙 준비할 테니 몸만 오세요. 아, 그 아름다운 미소도 함께요."

―호호호호호호!

전화를 끊은 종혁은 하늘을 보며 풀썩 웃었다.

방금까지 끓고 있었던 머리가 이제야 좀 식는 기분이었다.

"아드드드드! 그럼 일어날까?"

―지치고 힘들 땐…….

"응?"

모르는 번호였다.

종혁은 의아해하며 전화를 받았다가 이내 풀썩 웃었다.

"헨리도 선물을 보내시게요?"

―……이런. 제가 한발 늦었나보군요. 그래도 당신을 생각하는 마음으로 준비한 것이니 거절하진 말아 주십시오.

"친구의 호의는 절대 거부하지 말아야죠. 고맙게 쓰겠습니다."

―그렇게 말해 주시니 저도 마음이 놓이는군요. 언제 시간 되면 미국으로 넘어오세요. 보고 싶으니까.

"저 귀화시키려고요?"

—이런 들켰나요?

푸흐흐 웃은 종혁은 헨리 스미스와도 이런저런 이야기를 하다 전화를 끊었다.

"오."

마음이 맞는 상대와 수다를 떨어서 그런지 놀랍게도 말끔한 머릿속.

종혁은 이번엔 자신이 다른 이에게 전화를 걸었다.

'내가 그냥 적당히만 먹으려고 했거든? 근데 너흰 안 되겠다.'

—오빠!

"어, 미진아. 난데, 너희 혹시 중국에 진출해 볼 생각 없어? 내가 좋은 선물 보내 줄 테니까."

에바 미진 킴.

드바 로마노프 코리아의 진짜 사장이자, 빅토르의 오른팔.

종혁은 여기서부터 시작하기로 했다.

그렇게 옥상에서 내려와 두 친구가 택배로 보낸 선물을 받은 종혁은 다시 취조실로 향했다.

잠시 들렀던 사무실에 앉아 있던 형사들이 특진 소식을 들었는지 눈물을 흘리며 달려들어서 도망치듯 빠져나왔다.

"헉! 헉!"

"어이고. 그러다 죽겠습니다, 과장님."

"네가 할 말이냐?"

"흐흐. 힘드시면 잠시 쉬다 오세요."

갑자기 의기양양한 종혁의 태도에 눈을 가늘게 뜨던 김종두는 종혁이 들고 있는 두꺼운 대봉투들을 보곤 고개를 끄덕였다.

뭔지 모르지만 아주 중요하다는 걸 알아차린 거다.

"알았어. 씻고 올 테니까 이 새끼 괴롭히고 있어."

"옙. 충성."

종혁은 김종두가 나가면서 닫히는 취조실의 문을 봤다가 이내 의자에 앉아 바닥을 기고 있는 장 사장을 봤다.

"안 일어날 거지?"

흠칫!

"너, 너 어떻게 우리나라 말을……."

경악했던 장 사장의 얼굴이 와락 구겨진다.

"후회할 거다! 내 뒤에 누가 있는지 안다면……."

"그래, 거기 누워서 들어."

종혁은 나탈리아가 보낸 선물부터 열어 봤다.

"어이구야."

'다 있네.'

정말 다 있었다.

"이름 장웨이. 상하이 태생. 중국 내 정치 서열 59위 장 쑤윈의 배다른 형제."

두 눈을 부릅뜬 장 사장, 장웨이가 불신 가득한 눈으로 노려본다. 종혁은 씩 웃으며 마저 읽어 갔다.

"약 15년 전 흑사회를 결성, 형의 성공을 위해…… 아하. 아하하? 이래서 죽을 똥을 싸면서까지 널 꺼내려던 거였구나? 그래, 이제야 이해가 되네."

장웨이는 장쑤원의 수족이었다. 장쑤원이 성공할 수 있도록 성상납도 하고 온갖 험하고 궂은일을 다 한.

즉, 장쑤원이란 중국 정치인의 가장 큰 치부가 바로 장웨이란 소리다.

장웨이의 입이 열리면 장쑤원의 정치 인생도 끝난다고 봐야 했다.

나탈리아와 헨리가 정말 제대로 된 선물을 보냈다.

'이거 정말 진심으로 감사 인사를 해야겠는데?'

"너, 너……!"

종혁은 무시하며 서류를 주욱 훑었다.

그러다 한 부분을 보고 멈췄다.

"와……."

종혁은 감탄을 터트렸다.

"이야, 너 마약도 취급하네?"

"그, 그만! 그만-!"

"그런데……"

한 템포 쉰 종혁은 활짝 웃었다.

"중국에서 마약은 사형이지 않나?"

"……."

입을 꾹 다물며 식은땀을 흘리는 장웨이.

서류를 내려놓은 종혁은 그런 그를 보며 입술을 비틀었다.

"살고 싶지?"
"흡?!"
"살고 싶으면 불어. 네가 저지른 모든 범죄를. 한국에서 데려간 여성들을 어디다 팔았는지를. 그리고 네가 네 형을 위해 뭔 짓을 했는지를."
그렇게 말하는 종혁의 눈빛은 놀랍도록 무덤덤했다.
"참고로 난 이거 네 형이랑 적대 관계에 있는 사람에게 보내면 그만이다."
그럼 네가 살까, 죽을까.
네 형도 살까, 죽을까.
종혁은 그런 잔인한 질문을 던지고 있었다.

* * *

한 호텔의 옥상.
춥다 못해 살이 에일 듯한 늦겨울의 칼날 같은 바람 사이로 희뿌연 담배 연기가 흩어진다.
그러나 코트만 입은 여성은 춥지 않은 건지 코트를 여밀 생각을 하지 않는다.
"후우우."
여성은 난간에 기대어 아래를 내려다봤다.
뭐가 그리 바쁜지 빠르게 걷는 사람들.
마치 개미같이 작은 사람들.
다 똑같은 놈들.

'여기서 떨어지면 아플까? 아프기 전에 죽으면 좋을 텐데…….'

염세적으로 흐려진 눈동자로 저 몇 십 미터 아래를 지켜보던 여성은 무언가를 발견하고 이를 간다.

삐용삐용!

사이렌을 울리며 어딘가로 향하는 경찰차.

저놈들도 똑같다.

"개새끼들."

벌써 네 번이나 이 새장으로 돌려보낸 개새끼들.

겨우 쥐고 있던 한 줌의 희망을 놓게 만든 인간 이하의 짐승들.

"씨발, 짱개 새끼들."

이 새장을 만든 놈들이나 새장을 탈출한 자신들을 잡아다 돌려보내는 저 개새끼들이나 똑같은 놈들이다.

이 중국에 그녀의 편은 단 한 명도 없었다.

덜컹.

옥상 문을 열고 나타난 이 어린 여성을 제외하면.

아니, 같은 처지의 사람들을 제외하면 말이다.

"큰언니."

"왜 왔어. 추운데."

자못 냉랭한 음성에도 배시시 웃으며 다가온 어린 여성은 담배를 물고 있는 여성이 입고 있는 코트를 여미어 줬다.

"감기 걸려요."

큰언니라 불린 여성은 어린 여성이 여며준 코트를 다시 풀어 헤쳤다. 명품이건 따뜻하건 짐승들이 준 것이기에 제대로 입고 싶은 마음이 없다.

어차피 춥지도 않은 바람.

대체 언제부터인지 모르겠다. 겨울의 찬바람이 춥지 않게 느껴진 게…….

"몇 달 전에 온 애들은 좀 어때? 아직도 도망치려고 해?"

어린 여성은 씁쓸히 웃으며 고개를 끄덕였고, 큰언니라 불린 여성의 얼굴은 구겨졌다.

"병신 같은 년들. 그런 헛된 희망은 품지 말라고 그렇게 말했는데……."

"어쩌겠어요. 자기들도 몇 번 하다 보면 관두겠죠."

"그때마다 우리들이 맞으니까 그렇지! 왜 민폐를 끼치는데!"

누군가 도망치면 남겨진 사람들이 맞는다. 큰언니는 그걸 말하고 있었다.

하지만 어린 여성은 신랄하게 쏘아붙이는 큰언니의 모습에도 웃음을 잃지 않았다.

알기 때문이다. 자신들이 맞는 게 아니라, 도망쳤다가 걸려 잡혀 오면 죽을 때까지 맞을 그 여성들을 걱정한다는 걸 말이다.

모두 같은 심정이기에.

누구라도 이 지옥에서 도망치기를 바라기에.

자신들은 이미 포기했지만 그녀들은 성공하길 바라기에.

"뭐야, 그 다 안다는 눈빛은? 죽을래?"

"헤헤. 언니, 정이는 잘 살겠죠?"

"……몰라. 그딴 이기적인 년."

얼마 전 어떤 졸부에게 팔려 간, 눈이 사슴처럼 커다란 21살 정이. 헤어짐에 눈물, 콧물 흘리면서도 결국 오십대 아빠뻘의 짐승 새끼를 따라나섰던 정이.

정이뿐만이 아니다. 그렇게 첩으로 팔려 간 사람이 벌써 10명이 넘는다.

하지만 큰언니인 그녀는 말과 달리 그녀들이 이 지옥을 벗어난 것이기에 잘 살기를 바랐다. 어차피 고향으로 돌아갈 순 없을 테지만, 더 이상 맞고 살지 않기만을 바랐다.

'그러니 우리 따윈 잊고 잘 살아, 이년들아.'

"푸후우. 아, 발정 난 개새끼들 들어오네."

호텔 아래를 보니 고급차 한 대가 호텔 앞에 멈춰 서며 남자 세 명이 내린다. 주점 딸린 호텔에 남자끼리 오는 이유가 뭐겠는가.

이제 다시 시작된 거다.

맞지 않기 위해 짐승들에게 몸과 웃음을 팔아야 할 시간이.

결코 벗어날 수 없는 무한의 굴레가.

"개도 안 물어 갈 자라 새끼들."

어느새 입에 붙어 버린 중국 욕을 지껄인 큰언니는 어린 여성을 향해 손을 저었다.

"내려가. 난 좀 더 있다가 갈 테니까."

"네. 얼른 내려와요. 그러다 정말 감기 걸려요."

"알았다니……."

삐요옹! 삐요오오옹!

다급한 경찰차 사이렌 소리에 둘은 동시에 입을 다물며 얼굴을 구겼다. 자국 국민은 저렇게 바삐 구하러 가지만, 자신들은 외면하다 못해 다시 이 지옥으로 돌려보내는 개새끼들.

그게 그녀들이 생각하는 중국 공안이었다.

"흥. 또 누가 죽었기에 저렇게 급하게……."

호텔 밑을 봤던 어린 여성은 눈을 부릅떴다.

경찰차들이 호텔을 포위하고 있었다.

옥상의 다른 쪽으로 뛰어간 어린 여성은 감전이 된 듯 몸을 떨었다.

"어, 언니!"

그 다급한 외침에 순간 희망을 쥐려 했던 큰언니는 이내 고개를 저었다.

"포기해. 혹여 그렇다고 해도 우린 아니야."

구함의 대상이 아니다.

여기에 있는 흑사회 조직원들이 모두 잡혀간다고 해도 자신들은 다른 장소로 옮겨질 거다.

그리고 또 몸과 웃음을 팔아야 할 거다.

헛된 희망을 품기엔 그녀가 이 지옥 속에서 살아온 게 벌써 3년이었다.

탕! 타아앙!

그녀는 총소리를 들으며 담배 연기를 뿜었다.

"개새끼들. 이참에 다 죽어 버리라지."

그렇게 얼마의 시간이 흘렀을까.

"언니, 이번엔 다를까요? 이번엔……."

큰언니는 품에 안겨 헛된 희망을 품는 어린 여성의 말에 씁쓸히 웃었다.

'아서라, 이년아. 아서.'

그래도 희망은 고문이라도 살아갈 동력이기에 그녀는 입을 하지 않았다.

옥상 문이 열리며 공안들이 쏟아져 들어와도 말이다.

"김수진?"

'오랜만이네.'

자신의 본명을 듣는 것도. 그게 비록 중국어라고 해도 말이다.

"네. 내가 링링, 김수진입니다."

그녀는 발을 뗐다.

그때였다.

"경기도 수원 팔달구에서 사시던 김수진 씨, 올해 25세의 김수진 씨 맞습니까?"

"어?"

한국어다.

다시 들을 수 없을 거라 생각했던 한국어가 들리고, 중국 공안들 사이로 덩치 큰 사내가 걸어 나온다.

"경찰청 특수범죄수사과의 최종혁 경위입니다. 한국에

서 왔습니다."

털썩!

큰언니도 무릎에 힘이 풀려 주저앉았다. 방금 전까지 냉소적으로 말했지만, 그 누구보다 구원을 바랐던 그녀.

종혁은 망연히 쳐다보는 그녀들을 향해 허리를 숙였다.

"늦어서 죄송합니다."

"끄윽……! 흐어어어어엉!"

"으아아아앙!"

방금까지 춥지 않았던 바람이 갑자기 미치도록 춥게 느껴졌다. 정신이 망가지며 함께 망가졌던 그녀의 신체 시계가 정상으로 돌아가기 시작했다.

* * *

결국 장웨이는 모든 걸 자백하는 수밖에 없었다.

그에 종혁은 약속을 지켰다.

다만…….

"읍! 으읍!"

중국 공안 정복을 입은 사내들에게 끌려가며 절망과 분노 어린 눈으로 종혁을 노려보는 장웨이.

종혁은 장웨이를 끌고 가는 중국 공안들 사이에서 걸어 나오는 한 이십대 후반의 청년에게 시선을 옮겼다.

서글서글한 인상에 덩치가 후덕한 청년.

그러나 종혁은 그 살집 속에 엄청난 근육이 있다는 걸

알고 있다.

'이 사람이 나온 건가…….'

중국 공안의 미친개.

한 번 물면 결코 놓지 않고, 한 번 찍은 놈은 어떻게든 찢어발긴다는 투견.

회귀 전 공조 수사를 제법 해 봤던 사람인데, 솔직한 심정으론 결코 악연으로 얽히고 싶지 않을 정도다.

"살려 준다는 약속을 했습니다."

"그래요. 그게 어르신과 당신의 약속이죠. 하지만 이 이상의 참견은 용인하지 않겠습니다, 한국."

함께 작전을 펼친 것만으로도 이쪽에서 할 도리는 다했다는 듯한 말.

바늘로 찔러도 피 한 방울 나오지 않을 것 같은 모습에 종혁은 혀를 찼다.

하지만 더 이상 말하진 않았다. 범죄자 새끼 따위와 한 약속은 어차피 지킬 생각도 없었다.

'어차피 죽이진 않겠지.'

의외로 사형이 잘 선고되지 않는 나라인 중국.

아마 장웨이는 종신형을 선고받게 될 것이다. 그 정도면 충분히 약속을 지켰다고 봐야 했다.

"그럼 다음에 봅시다."

종혁은 유쾌하게 손을 흔들며 떠나는 그를 보다 고개를 저었다.

'저 인간과 얽힐 일이 없길 바라야겠네.'

종혁은 아직도 실감이 나지 않아 멍한 눈빛을 짓고 있는 여성들을 보며 이를 악물었다.

"돌아갑시다. 한국으로."

* * *

도르륵. 도르륵.

캐리어나 가방을 든 채 공항을 가로지르던 수십 명의 여성들이 입국 게이트가 가까워지자 점점 걷는 속도를 늦추고 몸을 움츠린다.

꿈에서라도 다시 올 수 있을까 했던 고향 한국이건만, 쉽게 발이 떨어지지 않았다. 그녀들의 몸과 영혼에 남은 지울 수 없는 화인과 저 입국 게이트 너머에 있을 하이에나들 때문이다.

그들로 인해 상처가 더 깊어질까 두려운 그녀들.

숨이 막히고 다리에 힘이 풀린다.

그때였다.

짜아악!

깜짝 놀라 한쪽을 본 여성들은 이내 고개를 모로 기울였다.

그들을 데리러 왔던 젊은 형사 종혁이 마스크와 모자, 선글라스를 들고 있어서다.

"자, 우리 오랜만에 오는 한국인데 그냥 나가면 안 되겠죠? 예쁘게 치장하고 나가야겠죠?"

그렇게 말한 종혁은 가져온 캐리어를 눕혀 지퍼를 열었다.

"아."

"어머."

캐리어에 가득 들어 있는 마스크와 모자, 선글라스.

종혁은 눈에 다시 빛이 들어차기 시작한 그녀들을 향해 활짝 웃었다.

"아무거나 골라잡으세요. 어여쁜 아가씨들을 위해 오늘 한정 공짜입니다."

능글맞은 그 말에 멍해졌던 여성들은 이내 배시시 웃었다.

그리고 잠시 후.

기이잉!

"왔다!"

촤라라라라라라!

선글라스와 모자, 마스크로 얼굴을 단단히 무장한 여성들은 쏟아지는 카메라 플래시 세례에 종혁을 찾을 수밖에 없었다.

종혁은 그런 그녀들을 향해 고개를 숙였다.

'늦어서 죄송하고, 다시 돌아오신 걸 환영합니다.'

서울경기 이십대 여성 실종 사건의 피해자 총 78명 중 63명.

끝내 단순 실종으로 결론이 난 15명을 제외한 피해자 전원 무사히 돌아올 수 있었다.

그렇게 이번 사건은 완벽하게 끝을 맺게 되었다.

한편 정혁빌딩의 입구 관리사무실.

-지난 1년 동안 서울 경기 일대를 공포에 몰아넣었던…….

라디오를 들으며 묘한 눈빛을 짓던 드미트리가 빌딩 안으로 들어오는 순철을 발견하곤 창문을 열었다.

"벌써 퇴근해요?"

"그저께 땜빵 한 것 때문에 오늘은 좀 일찍 퇴근했습네다. 드미트리 동지는 식사하셨습네까?"

"시간이 몇 신데요. 그보다 운전면허 시험 준비한다면서요?"

"그걸 어떻게 아십네까?"

"다 아는 방법이 있죠. 그런데 한국에서 면허 따려면 관련 영화도 봐야 하는데 알고 있어요?"

"그, 그렇습네까? 처, 처음 듣습네다!"

"그럴 줄 알았어요. 자요."

"가, 감사합네다!"

'택시 드라이버?'

뤽 베송 감독의 명작이자 남자들의 명화, 택시 드라이버.

프랑스의 벤츠 강도단을 택시기사가 쫓는 내용의 영화인데, 이 벤츠 강도단은 급속도로 굳는 페인트를 이용해 차량의 색상을 순식간에 바꿔 가며 경찰을 농락하고, 택시기사는 약간 모자란 형사와 함께 그들을 쫓아 결국 검거하는 걸로 마무리된다.

"이 은혜 꼭 잊지 않갔시오. 드미트리 동지."

비디오테이프를 보물처럼 끌어안은 순철은 위로 향했

고, 드미트리는 아쉽게 됐다며 혀를 찼다.

“정말 빠르군, 최.”

“크큭. 너무 아쉬워 말라고.”

“닥쳐. 순찰 다녀온다.”

자존심에 상처를 입어 따로 휴가까지 내며 차량 도난범을 쫓았던 드미트리는 플래시를 들고 지하주차장으로 향했다.

그렇게 정혁빌딩도 평화로워졌다.

* * *

웅성웅성.

경찰 정복을 차려입은 수백 명의 경찰이 앉아 있는 대강당.

단상에 선 특수범죄수사과 형사 총원 5명을 향해 기자들의 카메라가 불빛을 번쩍인다.

오랜만에 차려입은 정복이 어색해 안절부절못하는 그들.

객석에 앉아 그런 그들을 보는 경찰들은 부럽거나 질시 어린 시선을 보낸다.

아니면 객석에 앉아 밝게 웃고 있는 종혁을 본다.

이번 사건의 해결에 큰 공을 세웠지만, 특진 대상에서 벗어난 종혁.

하지만 그들은 알고 있다. 종혁이 내년에 진급을 한다

는 것을 말이다.

경찰대를 졸업한 지 2년이 채 지나지도 않았는데 경감. 고작 26살의 나이에 경감이다.

경찰 역사상 이렇게 빠른 진급 사례가 있을까.

하지만 이 자리에 앉은 사람들 중 종혁이 그저 운이 좋아 진급을 하는 게 아니란 걸 모르는 사람은 없다.

경찰서장이나 지방청의 과장 등 고위 간부들의 눈이 욕심으로 번들거리기 시작했다.

'저놈 하나만 데려가면 예산 걱정 없이 수사를 할 수 있단 말이지?'

'이번 사건에선 수천 개의 CCTV 저장장치를 일시불로 긁었다라…….'

'특수 사무실 때깔 좋은 게 재 때문이란 소리가 있던데…….'

'특진을 욕심내도 될 텐데 양보했다라……. 어차피 내년에 진급을 한다지만 쉽지 않았을 텐데…….'

돈이나 그런 배려도 배려지만, 정작 욕심이 나는 건 다른 부분이다.

지금 어깨를 쭉 펴며 단상에 오르는 최기룡 경찰청장.

여경 처우 개선이나 초대형 사건에서 삽질을 안 하고 빨리 해결하는 등 역대 최고의 경찰청장으로 꼽히게 만드는 데 혁혁한 공을 올린 게 바로 종혁 덕분이라는 소문이 있었다.

정말이라면 킹메이커다.

데리고만 있어도 경찰 조직의 정점에 오를 수 있게 만드는 조커.

당연히 욕심이 날 수밖에 없었다.

'지금 청장님은 너무 단호하니까 다음을…….'

'다음 청장에 오를 그 형님한테 뭘 보내야 하려나.'

그들은 먹잇감을 앞둔 사자처럼 눈을 번뜩이기 시작했다.

'이야…… 이러다 수십 조각으로 찢기는 거 아니야?'

종혁은 쏟아지는 눈빛에 풀썩 웃고 말았다.

제일 눈을 번뜩이는 건 광역수사대 대장과 마약수사대 대장이다. 왜인지 생활안전국에서도 눈을 번뜩이고 있다.

아니, 기획조정, 정보화장비, 경무인사, 외사국 등 본청 모든 과와 국을 담당하는 고위 간부들 전원 눈을 빛내고 있다.

그에 김종두 과장이 간절한 눈으로 종혁을 본다.

'종혁아! 나 안 버릴 거지? 이 삼촌 버리고 어디 안 갈 거지?'

"푸핫!"

종혁은 시선이 집중되자 사과를 하곤 얼른 신색을 바로 했다.

표창장을 전달하기 위해 준비하고 있던 최기룡도 째려보던 눈빛을 거뒀다.

-그럼 지금부터 표창 수여 및 특진을 위한 식을 진행

하겠습니다. 착석하신 간부님들께서는 큰 박수로 축하해 주시길 바랍니다.

빰빠라빰!

웅장한 음악과 함께 표창 수여가 시작됐다.

"겨, 경정 김종두!"

"이젠 총경이지? 이제야 본청의 과장다운 계급이 됐네. 앞으로도 대한민국의 치안을 잘 부탁한다, 김종두 총경."

"충성-!"

식은 빠르게 진행됐고, 어느새 최재수의 차례가 됐다.

"진급을 축하한다, 최재수 경장."

"여, 열심히 하겠습니다! 충성!"

그렇게 최재수도 경장이 되었고, 종혁과 오택수는 그에 형언할 수 없는 감정을 느꼈다.

'쟤가 경장이라니…… 세상이 망하려는 징조인가?'

'이야, 경찰 좋아졌네. 저런 모지리도 진급하고.'

그런 잡생각도 한 발 앞으로 나선 김종두에 의해 사라졌다.

"총원 차렷!"

오늘 시간을 내서 찾아와 준 간부들을 위한 감사 인사.

그리고 특진을 양보한 다른 특수범죄수사과 형사들을 향한 감사의 인사.

이런 특진을 가능케 해 준 종혁을 향한 감사 인사.

표창장을 수여받을 때처럼 모두 절도 있게 발과 손을

모았다.

"경례!"

"추웅성!"

"와아아아아!"

짝짝짝짝짝짝!

종혁은 제일 먼저 일어나 진심으로 박수를 쳤다.

그렇게 3월도 중반이 지나가면서 봄이 오고 있음을 알려 주었다.

또 다른 사건과 함께 찾아올 봄이 말이다.

* * *

어느덧 봄이 찾아왔다.

거리엔 개나리, 진달래와 함께 웃음꽃이 피고, 사람들은 꽃을 찾아 봄나들이를 떠나는 따뜻한 봄이 왔다.

하지만 삼전그룹의 회장실은 아직 겨울이 가시지 않은지 지독한 한파가 몰아치고 있다.

이 회장실의 주인인 김희건 회장 때문이다.

명실상부 대한민국 재계 서열 1위의 기업, 삼전그룹.

눈앞에 도열한 채 고개를 숙이고 있는 중진들을 서늘히 바라보던 김희건 회장이 입을 열었다.

"찾았어?"

무려 약 2조 원의 수주를 중국에서 받으며 그룹 전체가 축제의 분위기에 휩싸였다.

2조 원의 건설 수주는 시작일 뿐, 핸드폰 공장 설립과 핸드폰 및 가전 수출 등으로 앞으로 이어질 호재에 전 직원이 뜨겁게 달아올랐다.

그런데 얼마 전, 그 뜨겁던 열기에 찬물이 끼얹어졌다.

주가의 25퍼센트가 고작 열흘 만에 날아간 탓이었다.

"그, 그게 미국과 러시아가 범인이라는 건 알아냈지만……."

그랬다. 이번 주가 증발 사건의 주범은 미국과 러시아였다.

그중 미국은 2001년 닷컴 버블 때 갑자기 월가에 나타나 공룡이 된 기업들이며, 삼전의 투자자들이었다.

그런 그들이 갑자기 투자금을 회수하고, 러시아가 배후로 있는 걸로 예상되는 곳들이 공격해 왔다.

"못 찾았다는 소리군."

호재만 가득했던 삼전이다.

외국인 투자자들이 갑자기 자금을 뺄 이유가 없거니와 국제 정세나 미국과 러시아 정세상 모두 갑자기 돈이 필요한 상황도 아니다.

그런데도 난데없이 공격이 들어왔고, 삼전은 방어조차 제대로 못한 채 탈탈 털려야 했다.

만약 삼전그룹만 털렸다면 이렇게까지 화가 나지 않을 거다. 주식 판에서 이런 일이야 비일비재하니까.

너무 갑작스러웠는지라 제대로 대처하지 못했을 뿐, 잃어버린 주가는 얼마든지 다시 복구할 수 있다.

다음에 이런 공격이 들어오면 막아 낼 거다.

김희건 회장은 그렇게 믿고 있었다.

다만 그때까지 그룹 내의 자금이 원활하게 돌지 못해 중국에서 벌일 일에 차질이 생긴다는 게 뼈가 아플 뿐이었다.

탄력을 받아 대현과의 격차를 더 벌려야 하는데 그러지 못한다는 게.

그런데 대현까지 털렸다. 대현그룹과 대현자동차그룹 둘 모두. 그쪽은 무려 27퍼센트와 23퍼센트다.

여기서 문제는 대한민국의 수많은 기업 중 삼전과 대현만이 털렸다는 점이다.

'이건 세력이 한 짓이다!'

누군가, 어떤 세력이 지독한 악의를 품고 삼전과 대현을 공격한 거다. 그리고 적당히 이득을 취한 뒤 여유롭게 돌아간 거다.

더 공격할 수 있음에도 마치 자비를 베풀었다는 듯.

그들 월가의 투자 기업들도 자신들의 뜻이 아니었다고 피력했지 않은가.

김희건 회장은 이를 악물었다.

'감히!'

"권&박은 알아봤어?"

"예? 갑자기 거긴 왜……."

"그야……."

'최종혁.'

권&박 홀딩스와 아주 밀접한 관계가 있다고 생각되는

청년이 바로 경찰이다. 김희건 본인이 얼마 전 중국의 일 때문에 직접 압력을 넣었던 경찰청장과도 밀접한 청년.

그리고 갑자기 실각해 버린 장쑤원.

알아보니 경찰청장에게 압박을 넣으면서까지 빼내려 했던 장웨이란 범죄자가 다 불었다고 한다.

다행히 담당이 바뀌었어도 거래의 주체만 바뀌었을 뿐 달라지는 건 없었지만, 이 네 가지가 버무려지니 뜬금없어도 그런 결론이 나왔다.

노회한 사업가의 감은 아주 날카로웠다.

하지만.

"권&박 홀딩스가 그런 사이즈가 되겠습니까?"

"……그건 그렇지."

권&박 홀딩스는 1997년 IMF 때와 러시아 모라토리엄 때 반짝였던 회사로, 그 정도의 역량을 갖춘 곳은 아니었다.

실제로 미국 닷컴 버블 때 제대로 된 재미를 못 봤다지 않던가.

'혹여 명동의 돈 귀신, 권 노인이 도왔다고 해도 이번 일은 힘들지.'

금융실명제 발표 이후 강제적으로 은퇴당한 명동 밤의 황제.

김희건 그 역시도 그에게 돈을 빌린 적이 있고, 지금은 돌아가신 아버지 김맹철도 쩔쩔맸던 인물이지만 지금은 거지들이나 돕는 이빨 빠진 호랑이다.

'그럼 대체 누구인 거야!'

다시 열이 오른 김희건 회장은 중진들을 죽일 듯 노려봤다.

"찾아. 알았어?"

"예!"

김희건 회장이 분노하는데 이 외에 다른 답을 할 수 있을까.

김희건 회장은 우르르 빠져나가는 중진들을 보며 혀를 찼다.

"돈만 축내는 밥버러지들."

정리하고 싶지만 삼남이었던 그가 회장 자리에 앉을 때 도운 이들이기에 혀를 차던 그는 한숨만 뱉었다.

"……정말 누구인 거야?"

그는 답답한 마음에 올해엔 꼭 끊겠다 다짐한 담배를 물었다.

그건 대현그룹과 대현자동차그룹의 회장도 마찬가지였다.

한편 그런 그들이 찾는 종혁과 박태규는 권&박 홀딩스의 사무실에서 짜장면을 먹고 있었다.

후루룩! 후루룩!

"어흐! 잘 먹었다."

세 그릇의 짜장면 곱빼기와 두 그릇의 짬뽕 곱빼기를 모두 비운 종혁은 이쑤시개로 이를 쑤시며 만족스런 미소를 짓는다.

"아, 이집 잘하네. 홍궁이라고요?"
"체인인데, 맛이 좋아 종종 시켜 먹습니다."
"체인이요? 하, 이런 맛집은 꼭 내 주위에만 없지."
"하하."
농담이라는 듯 같이 웃은 종혁이 눈을 빛낸다.
"그보다 삼전과 대현의 반응은 어때요?"
"어떻긴요."
박태규의 미소가 짓궂어진다.
"어제 삼전의 회장실에서 고성이 들렸다고 합니다. 저희를 찾으라고요."
"그래요? 하지만 못 찾잖아요."
"당연히 그렇죠?"
삼전, 아니 삼전 할아버지가 와도 이젠 절대 못 찾는다. 종혁 본인이 권&박 홀딩스의 진짜 주인임을 아는 미국과 러시아가 입을 열지 않는다면.
중국 음식 때문에 느끼해졌던 속이 갑자기 시원해진 종혁은 배를 쓸어내리며 거하게 트림을 했고, 박태규도 똑같은 행동을 했다.
눈이 마주친 둘은 동시에 웃음을 터트렸다.
"주가가 떨어지는 걸 보니 수익이 엄청 났겠던데……."
"두 기업, 아니 세 기업의 시총 검색은 안 해 보셨습니까?"
"할 필요가 있나요?"
그 오만한 말에 박태규는 역시 종혁답다며 실소를 터트렸다.

"바이 차이나 프로젝트에 꽤 도움이 됐다고만 아시면 됩니다."

바이 차이나.

미국, 러시아, 그리고 권&박 홀딩스가 서로를 방해하지 않으면서 도움이 필요할 땐 적극 돕기로 암묵적으로 협의한 작전의 이름이다.

"안 그래도 아르헨티나 투자와 병행을 해야 되다 보니 가용 가능한 자금이 적었는데 잘된 일이죠."

"오? 그 정도예요?"

종혁은 조소를 지었다.

원래 남의 돈이었던 돈을 가지고 더 많은 돈을 번다고 생각하니 기분이 째지도록 좋아졌다.

'이런 거라면 장웨이 정도의 범죄자는 한 번 더 송환시켜도 되겠는데?'

물론 그런 일은 앞으로 없어야겠지만 말이다.

고개를 끄덕인 박태규는 눈을 빛냈다.

"그리고 어제 중국 전인대가 대만을 겨냥한 반분열국가법을 통과시켰습니다."

종혁의 눈도 번뜩였다.

"결국 통과됐군요."

그러나 회귀 전을 생각하면 좀 늦었다고 봐야 했다.

"미국과 러시아가 물어뜯기 위해서 달려들고 있는 걸 뻔히 알 텐도 통과됐다라……."

중국의 야욕이 그만큼 크단 뜻일 거다.

"보스는 중국이 어디까지 성장할 거라고 생각합니까?"
종혁은 잔뜩 기대하는 박태규의 시선에 다 마신 커피잔을 내려놓으며 툭 뱉었다.
"G2."
"……예?"
커피가 더 있나 찻잔 안을 살피던 종혁은 눈을 부릅뜬 박태규를 보며 말을 이었다.
"제 예상대로라면 아마 세계 경제 순위 2위까지 치고 나갈 겁니다."
예상이 아니라 실제 벌어지는 일이다.
"무, 무슨! 정말 그렇게까지 성장한다고 보시는 겁니까?"
"20년, 아니 10년만 지나도 세계에서 중국을 무시할 수 있는 나라는 단 한 곳도 없어질 겁니다. 저 미국마저도 말이죠."
블랙홀처럼 외화를 빨아들이면서 급격히 성장할 중국.
훗날 자충수를 두고 사방에 적을 만든다지만, 그래도 무너지지 않는다. 그만큼 하나 된 중국은 무서운 국가였다.
"명심하세요. 절대 그 흐름에 휩쓸리면 안 됩니다."
휘말리면 이리저리 표류하다 난파될 거다.
그만큼 중국이 만들어 내는 흐름은 거대하고 격렬했다. 세계 경제의 흐름을 바꿀 정도로 말이다.
이런 종혁의 말에 박태규는 전율을 하면서도 다른 생각

을 가졌다.

'만약 이번에도 보스의 예측대로 된다면…….'

박태규는 아마 종혁을 인간으로 여기지 못할지도 몰랐다.

하지만 그래서 더 믿음직스럽다. 인간이 아닐 것 같아서.

"걱정 마십시오. 주도하는 입장이 될 테니!"

"그래요. 그거면 됩니다. 그런데……."

"음? 더 하실 말이 있습니까?"

"저 국수는 언제 먹게 해 줄 거예요?"

"쿼?!"

"어이쿠. 그런 외계어를 쓸 만큼 권 이사가 좋으세요?"

권&박 홀딩스를 함께 만들어서 그런지 한때 심상치 않았던 둘의 관계. 종혁이 파악하길 이 둘의 관계는 현재 진행형이었다.

"그게 쿨룩, 쿨룩! 저, 절대 그런 일은 없을 테니 그런 말 마십시오! 어디 그런 사나운 여자랑! 장가길 막힙니다!"

"흐응……."

'이제 그만 좀 서로의 감정을 인정했으면 좋으련만…….'

옆에서 지켜보는 사람이 더 지치는 둘의 관계.

하지만 자칫 무리하게 연결시키려다 둘 모두 잃을 수 있기에 선뜻 나설 수가 없다.

그저 될 때마다 이렇게 옆구리만 찌를 뿐, 다른 방법이 없었다.

“에혀. 밥도 다 먹었으니 그만 일어날게요. 다음에 봐요.”
“어흐흠. 같이 내려가시죠.”
고개를 끄덕인 종혁은 박태규과 함께 1층으로 내려갔다.
“그럼 가 볼게요. 들어가 보세…… 음?”
엘리베이터에서 내리던 종혁은 옆 엘리베이터에 올라타는 여성을 보곤 눈을 동그랗게 떴다.
박태규는 그런 종혁의 모습에 고개를 모로 기울였다.
“이현지 씨를 알아?”
직원들이 많은 로비이기에 반말을 하는 그.
종혁은 묘한 미소를 지었다.
“안다고도 할 수 있고, 아니라고도 할 수 있죠.”
아니, 안다.
중앙지검에서 명예 수사관으로 일할 때 처음으로 해결한 동출이파 사건.
동출이파의 마수에 걸려 신체의 자유를 박탈당한 채 억지로 몸과 웃음을 팔아야 했던 여성들 가운데 리더 격이었던 여성이다.
“저분 여기서 일해요?”
“일하다 뿐일까. 현재 부동산투자 사업부 총괄이야.”
종혁은 눈을 동그랗게 떴다.
“저렇게 젊어 보이는데요?”
“젊은데 부동산 보는 감각이 엄청나거든.”
2002년 혜성처럼 지방 부동산 업계에 등장해 2004년

권&박 홀딩스에 스카우트를 될 때까지 그녀 개인이 보유한 부동산 가치가 무려 200억 원.

그녀가 정말 대단한 점은 중소 기업의 경리나 주유소 아르바이트 등으로 아득바득 모은 1억을 들고 이 바닥에 뛰어들어 그런 성공을 거뒀다는 점이다.

겨우 2년 만에 200배 수익. 주식이라면 모를까 부동산에선 거의 불가능한 수익률이었다.

"아!"

'그 이현지가 저 이현지였나!'

회귀 전 보유한 건물이나 아파트가 거의 만 채에 가까웠다는 입지적인 인물이자, 부동산에선 김우중 회장을 제외하면 감히 따를 존재가 없다던 거물 이현지.

"대, 대체 어떻게 스카우트를 한 거예요?"

"권 이사가 돈은 무한대로 줄 테니 부동산 시장을 먹어보라고 했다던데?"

순이익의 20퍼센트를 주겠다는 말로 꼬드겼다고 한다.

"그리고 그 덕분에……."

말을 하던 박태규가 흐뭇이 웃는다.

"우리 회사의 부동산 자산이 5배가량 늘어났지."

이미 어마어마했던 권&박 홀딩스의 부동산 자산이 5배나 늘어났다. 이게 그녀가 스카우트된 지 고작 1년 만에 이뤄 낸 성과였다.

"또 마침 정부의 헛발질 때문에 보유 부동산의 값이 나날이 치솟는 중이고."

정책 실패로 인한 부동산값 상승.

단순한 예로 재작년까지만 해도 1억이면 샀던 아파트가 지금은 1억 5천만원을 주고도 못살 정도다.

아마 이 열풍이 가라앉을 때쯤이면 부동산 투자 파트는 권&박 홀딩스에 없어선 안 될 든든한 기둥이 될 터였다.

그 전에 권력자들이 욕심을 내지 않도록 여러 작업을 해 놔야겠지만 말이다.

"아마 현지 씨도 이 정책이 실패할 걸 예상했기 때문에 스카우트된 걸 거야."

아무리 능력이 뛰어나도 개인으로선 크게 먹을 수 없는 판.

영특한 여자였다.

"아."

좋다. 길을 걷다가 주인이 없는 1000억짜리 무기명 채권을 주우면 이런 심정일까.

생각지도 못한 상황에서 천군만마를 얻은 기분이다.

"대단한 분이네요. 지원을 아끼지 말아 봐요. 예상보다 더 클 수 있으니까."

"그런 건 걱정 마라. 그럼 가. 얼른 가서 이 나라의 치안을 지켜야지."

"하하. 예. 삼촌도 수고하세요. 충성."

"그래. 나도 충성."

그렇게 권&박 홀딩스를 빠져나와 차를 세워 둔 주차장으로 향하던 종혁은 돌연 멈춰 서며 웃음을 흘렸다.

"다행이네."

그녀가 자신의 손에 들어온 것보다 그렇게 몸과 마음이 망가졌음에도 끝내 다시 일어서다 못해 자신만의 길을 걷는 모습이 참으로 기껍다.

"그때도 범상치 않다고는 생각했지만……."

종혁은 입가에 미소를 띠며 차에 올랐다.

들을 것도 들었으니 이제 다시 일상으로 돌아갈 시간이었다.

그때였다.

–지치고 힘들 땐…….

핸드폰이 울리며 익숙한 이름이 발신자로 표시된다.

언제 봐도 반가운 이름.

"예, 여보세요!"

–아, 거기 최종혁씨 전화 맞습니꺼?

'응?'

의아해하던 종혁은 피식 웃으며 장단에 맞추기로 했다.

"네, 맞는데요. 누구세요?"

–내 중앙지검의 강철선이란 검사인데, 살아는 있어예?

"네, 살아 있습니다."

–참말입니꺼? 그럼 그럴 리가 없는데…….

"왜요?"

–갸가 살아 있다면, 갸도 사람이라면 이리 연락을 안 할 수 있겠습니꺼?

"푸핫! 왜 그러세요. 얼마 전 명절에도 봤잖아요."

-그건 그때고, 이 문디 자슥아-! 니 진짜 혼나고 싶나! 사건을 넘길 거면 으이?! 찾아와서 아버님, 이거 쪼매 잘 봐주이소 해야 될 거 아이가! 어디서 배워 먹은 버르장머리고-!

강철선은 경찰이 되더니 버릇이 나빠졌다고 툴툴거렸다.

"푸흐흐. 그래서 삐지셨어요?"

-모른다, 이 문디 자석아!

"흐흐흐. 삐졌네. 에고, 우리 아버님 삐져서 어떡해요?"

-콱 마…… 됐고, 밥 뭇나? 안 묵었으면 같이 뭇자. 넘어와라.

"음? 이 시간에요?"

시간을 확인한 종혁은 고개를 모로 기울였다.

벌써 오후 3시다. 제아무리 바쁜 검사라고 할지라도 벌써 밥 먹었을 시간이다.

-오면 이야기할게. 퍼뜩 넘어오래이.

"……호오."

사건이다.

눈을 빛낸 종혁은 서울중앙지검을 향해 차를 출발시켰다.

* * *

"어? 최 선수? 이야, 오랜만에 보네?"

"요즘 잘나가더라? 이제 그만하고 검찰로 턴해!"

"아하하. 잘 계셨죠? 김 검사님, 박 검사님? 앗! 최 검사님!"

"확 마! 다들 눈 안 돌리나! 내 거다!"

독 오른 살쾡이가 따로 없는 강철선의 반응에 검사들이 도망치듯 사라지자, 씩씩거리던 강철선이 돌연 종혁의 목을 졸랐다.

"야, 이 문디 자슥아! 거가 어디라고 가노! 거가! 니 몸이 뭔 강철인 줄 아나-!"

"케엑! 탭! 탭!"

"내가 파일 보고 얼매나 놀랐는지 아나-!"

이번 서울경기 이십대 여성 실종 사건에서 놈들의 아지트 창고의 문을 차로 뚫고 들어간 종혁.

그 사건 현장 사진에 달린 주석을 본 순간 강철선은 마시던 커피를 뿜어야 했다.

"태앱!"

종혁을 노려보다 손을 푼 강철선은 걱정이 가득 담긴 시선을 보냈다.

"하이고, 인마야. 내가 니 때문에 수명이 준다, 줄어. 니 이래 혼날 것 같아서 파일만 던지는 기가?"

"에이. 형사 일이 다 그렇죠."

"그래서 잘했다는 기가?"

"한 점의 부끄러움도 없습니다."

범죄자를 검거하기 위해선 그보다 더한 것도 할 수 있었다.

돌연 진지해지는 종혁의 모습에 강철선은 굳어 버렸다.

맞다. 형사라면 종혁의 말이 맞긴 하지만, 그래도 아들처럼 생각하는 종혁이라서 걱정이 먼저 들 수밖에 없었다.

종혁은 화 풀라며 한숨을 푹푹 내쉬는 강철선의 어깨를 주물렀다.

'……그래. 내가 이놈아를 우에 말리겠노.'

예전에도 못 말렸다.

피식 웃은 강철선은 이내 종혁의 손길에 몸을 맡겼다.

"거 옆에 해 봐라. 어, 거."

"여기요? 시원하세요?"

고개를 끄덕이던 강철선은 이제 됐다며 종혁의 손을 두드렸다.

그러곤 손수 커피를 타와 종혁에게 내밀었다.

"감사합니다. 잘 마실게요."

"그래. 마이 무라."

씩 웃으며 커피잔을 들던 종혁은 입을 열었다.

"그래서 무슨 사건인데요?"

"……좀 묵고 이야기하믄 안 되나?"

종혁은 강철선을 빤히 응시했다.

가족에 관한 일이 아니고선 여태껏 뭔가를 부탁할 때 이렇게 뜸을 들인 적이 없는 강철선이다.

사건은 더더욱 맡긴 적이 없다. 중앙지검에서 명예 사무관으로 일할 때도 종혁이 뭔 일을 하면 혼을 먼저 냈던 그.

물론 덕분에 사건이 빨리 해결돼서 좋아한 적은 있어도 그런 걸 바라며 일을 시킨 적은 없었다.

그런 그가 이렇게 뜸을 들일 일이라면 정말 골치 아픈 사건이라는 거다.

“하아. 문디 자슥.”

강철선은 밑에 뒀던 서류 가방에서 얇은 파일 하나를 꺼내어 넘겨줬다.

그 첫 장을 넘긴 종혁은 미간을 좁혔다.

“살인 사건? 재작년에 일어난 사건이네요?”

지방 한 공단의 외각에서 여고생이 살해됐다.

살해 도구는 발견됐으나, 범인의 신원은 밝혀지지 않은 상황.

‘확실히 골치 아픈 사건이긴 한데…….’

형사부 부장검사인 강철선이 챙길 만한 사건이 아니다.

종혁은 그런 의도를 담아 그를 봤고, 강철선은 다시 한 숨을 내뱉었다.

“피해자가 내 은사의 손녀데이.”

일단 거기까지 말한 강철선은 담배를 물었다.

치이익.

타들어 가며 잿빛으로 물드는 담배처럼 강철선의 눈빛도 흐려진다.

“참 마이 맞았제. 자갈치 시장 아지매 아들로 쥐좆도 없이 태어나 누구에게도 꿇리지 않겠다고 만날 대거리만 하고 다니던 문디 자슥을 사람 만들겠다꼬…….”

정말 많이 맞았다. 그 선생님은 쫓아다니면서 때렸다.

하지만 그 선생님 덕분에 결국 정신을 차리고 공부를 열심히 해서 결국 한국대 법대에 입학해서 이렇게 검사가 됐다.

지금의 강철선을 만든 건 그 선생님이라고 봐야 했다.

학창 시절엔 참 태산 같고, 강철로 만든 소나무 같았던 선생님.

담뱃재를 툭툭 털은 강철선은 아프게 웃었다.

“그라던 분이 얼마 전에 갑자기 연락을 해 왔는기라. 제발 우리 손녀 한 좀 풀어 달라고 울먹이면서…… 와, 딱 돌아 삘겠데?”

“그만하셔도 돼요. 무슨 말인지 알겠으니까.”

종혁은 금방이라도 눈물을 터트릴 듯한 강철선의 손을 두드렸다.

“그때 딱 네가 생각나는기라. 이 답도 없는 사건, 가마이 두면 미제로 빠질 사건. 하루라도 빨리 해결할 수 있는 놈이 누굴까 생각하이까 너밖에 안 떠오른 기라고! 그러니 종혁아, 아니 최 경위님. 내 진짜 미안하고, 죄송한데요…….”

“예, 알겠습니다. 그렇게 할게요.”

그 누구도 아닌 강철선의 부탁이다.

또 피해자의 관계자가 이렇게 진심으로 부탁한다.

강철선의 말처럼 언제 답을 찾을지 모르는 사건이라도 수사를 시작하는 데에는 그거면 충분했다.

"부탁합니다, 최 경위님. 진짜 이렇게 부탁할게요."

종혁은 고개까지 숙이는 그의 모습에 이를 악물며 파일을 챙겨 들었다.

"검사님 바람처럼 최대한 빨리 해결하겠습니다. 그러니 검사님께선 마음 놓으시고 다른 사건이나 해결하고 있으세요."

종혁은 미지근해진 커피를 쭉 들이켜곤 몸을 돌렸다.

"잘 마셨습니다."

6장. 싸장님, 우리 싸장님

싸장님, 우리 싸장님

부우웅.

봄날의 꽃가루를 뚫으며 도로를 빠르게 달리던 차량이 인적이 드문 외곽지에 멈춰 선다.

"끄으으으으!"

"으아!"

기지개를 펴며 오랜 주행에 쌓인 피로를 떨쳐 내던 종혁과 오택수가 서로를 보며 고개를 끄덕인다.

"수고했어."

"뭘요. 저야 도중에 바꾼 것뿐인데요. 오 경위님도 수고하셨어요."

그렇게 서로를 다독이던 둘은 짜증을 담아 최재수를 봤다.

도중에 교체를 하기는커녕 지기 바빴던 최재수.

"이 새끼가 봉오리 하나 더 달았다고 아주 빠져…… 응?"
오택수와 종혁은 서로를 봤다.
'저거 왜 저래?'
'글쎄요?'
왜인지 최재수의 낯빛이 어둡다. 그동안 몇 번 보지 못한 모습이라서 그런지 슬그머니 불길해진다.
"오 경위님, 최 경위님."
"어? 왜, 왜?"
갑자기 부르니 더 불길해진다.
"저희 정말 괜찮을까요?"
"뭐, 뭐가?"
"아니요. 아까 출발하기 전에 과장님이 그러셨잖아요."

"너흰 만날 밖으로 나돌아 댕기냐, 이 썩을 새끼들아! 밖이 그렇게 좋으면 돌아오지 마-!"

재떨이까지 던지며 화를 냈던 김종두 과장.
그렇게 화를 내는 모습은 처음이었다.
"이, 이러다 정말 저희 복귀……."
"에라이, 난 또 뭐라고. 라이터 있으세요?"
"어, 여기. 나도 담배 좀."
"에이, 좀 사서 피우시라니까."
최재수는 눈을 부릅떴다.
"저 정말 심각하거든요?!"

"어이구, 그러세요. 그럼 네 옷이나 어떻게 해 보세요, 이 심각한 옷차림을 한 새끼야. 꼴이 그게 뭐냐?"

특진 이후 갑자기 입지도 않던 정장을 입기 시작한 최재수.

그런데 대체 어디서 산건지 어깨는 넓고, 바지통도 넓어서 꼭 90년대 아버지들이 입던 정장 같다.

아니, 그런 아버지 정장을 입은 십대 꼬마 같다.

키도 190에 가까운 멀대 멸치가 말이다.

"아, 아니 그, 그게……."

송환 작전 때 공항에서 정장을 입고 중국 공안과 이야기를 나누던 종혁과 김종두의 모습이 뭔가 있어 보여서 거금 주고 맞췄단 소리를 어떻게 할까.

최재수는 제대로 말을 잇지 못한 채 벌게진 얼굴로 더듬거렸다.

하지만 이미 그를 무시한 둘은 관할서에게 인계받은 사건의 파일을 열어 보고 있었다.

"여기가 피해자가 마지막으로 목격된 곳이라고?"

정확히는 버스정류장에 달린 CCTV에 목격됐다.

저녁 11시, 야자를 마치고 이곳에서 내려 집으로 향하던 피해자 김가을은 다음 날 싸늘한 주검으로 발견되었다.

사인은 강간 후 살해.

타액은 검출됐지만, 범인의 정액은 검출되지 않았다. 살해 무기만 바로 옆에서 발견되있다.

둘은 동시에 똑같은 보폭으로 피해자 김가을이 향한 방향으로 걸어 살해 현장에 도착했다.

재작년에 일어난 사건이라서 현장 보존은커녕 우거진 수풀만 가득한 공간.

오택수는 시간을 확인했다.

“7분 21초. 키 163센티미터 여고생 보폭이라면 오차가 생겨 봐야 1, 2분 차이.”

“가로등도 제대로 없는 야심한 밤이기에 걸음을 재촉했을 가능성이 커요.”

“그럼 약 3분에서 4분. 이런 외곽지에다가 그 시간대엔 사람의 통행조차 없을 테고…….”

일단 너무 야심한 시간대라 목격자가 없었다.

“버스에서 함께 내린 승객도 없습니다.”

목격자가 있다면 버스정류장 10미터 뒤에 있는 작은 편의점의 관계자가 전부일 텐데 피해자 김가을을 보진 못했다고 한다.

“그럼 저쪽에서 온 거네.”

김가을을 내려 주고 떠난 버스가 향하는 방향엔 거의 논과 밭뿐이다. 저녁 11시에 저쪽에서 사람이 왔을 가능성은 없다고 봐야 했다.

“예. 마침 저쪽이 김가을 씨가 사는 마을입니다.”

“면식범?”

그들이 방금 전 지나쳐 온 약 100여 채의 집만 있는 작은 마을. 저렇게 작은 마을이라면 그 가능성도 배제할 수 없다.

"가능성을 배제할 순 없죠."

실제로 이 사건을 담당한 형사도 그 부분을 의심했다고 한다.

지금은 정년퇴직을 하고 행방을 알 수가 없어서 당시 같은 팀에 있었던 형사가 증언해 줬다.

"야, 최재수!"

"예, 옙!"

오늘도 수첩에 둘의 대화를 빠르게 기록하던 최재수가 얼빵한 얼굴로 고개를 든다.

"살해 흉기에서 지문이 검출됐는데, 범인의 신원이 밝혀지지가 않았다. 이유가 뭐겠냐?"

그에 최재수가 자신만만하게 웃으며 가슴을 편다.

"범인이 주민등록증 발급 대상이 아닌 미성년자일 때입니다!"

한국인이라면 만 17세가 되면, 만 18세가 되기 이전까지 반드시 지문 등록과 함께 주민등록증을 발급해야만 한다.

즉, 만 18세 미만의 청소년까지는 지문 정보가 등록되어 있지 않을 수 있다는 것이다.

"오."

"헤헤."

"좋냐? 그게 끝이야?"

"예?"

오택수는 다시 얼빠진 표정을 짓는 최재수를 보며 얼굴을 구겼다.

"아오! 정말 이걸 어떡하면 좋지? 외국인, 불법 체류자! 여기가 어디냐, 이 새끼야!"

근처에 공단이 있다. 외국인 노동자나 불법 체류자들은 100퍼센트 있다고 봐야 했다.

"주민등록 말소자도 있죠."

많이 외진 곳이다. 어떠한 이유로 주민등록이 말소당한 사람들이 숨어 살기에도 적당하다고 봐야 했다.

이런 공단의 공장에서는 신원 확인을 제대로 안 하니까 먹고살기에도 불편하진 않을 터.

"아……."

"아? 아아? 이걸 확 진짜! 이 새끼가 왜 경장이 된 거지? 진짜 아무리 생각해도 이해를 할 수가 없네? 야, 그냥 봉오리 하나 떼는 거 어떠냐?"

깨갱 움츠러든 최재수는 불만 가득한 표정을 지으면서도 자신도 모르게 어깨를 가렸고, 고개를 저은 종혁은 마을을 향해 걸었다.

그리고 마을 입구에 도착하자 다시 시간을 확인했다.

"살해 현장에서 여기까지 약 130미터. 시간상으로는 약 2분. 야심한 저녁. 그런데도 비명을 들은 사람은 없다. ……왜지?"

낮이라면 모를까 작은 소리도 멀리 퍼지는 밤이다.

11시가 야심한 시각이라고 해도 분명 잠들지 않은 사람은 있었을 터. 그런데도 비명을 들은 사람이 없었다.

현장 사진을 보면 반항한 흔적이 가득했는데도 말이다.

종혁은 재빨리 부검 결과서를 살폈다.

그리고 얼굴을 와락 구겼다.

"씨발, 지랄 났다."

"왜?"

"뭘로든 입을 막은 게 확실한데 나와 있지 않네요."

설상가상 타액도 제대로 검사되지 않았다.

겨우 남자라는 것만 밝혀진 상황.

빠드득!

종혁은 이를 갈았다.

일본에서 DNA 수사 기술 교류를 한 게 2001년이다.

그리고 이 사건이 발생한 건 2003년.

그럼에도 이런 부실한 결과서가 만들어졌다.

"뭐?! 그게 말이 돼?"

오택수는 뺏다시피 부검 결과서를 가져와 살폈다.

그냥 살해라면 모르겠는데 강간 후 살해다.

피해자는 공포에, 범인은 흥분에 가득한 상황.

특히 흥분한 범인이라면 손으로 입을 막거나 흉기로 위협한 상태여도 그 행동이 느슨해질 수밖에 없다.

피해자가 너무 겁에 질린 나머지 입을 다물었다고 치기엔 끝까지 반항한 흔적이 있다.

"아, 씨발. 여기 있네. 피해자 팬티."

피해자 팬티에서 피해자의 타액이 검출됐다.

즉, 팬티가 재갈이 되었단 소리다.

물론 거기서 뭘 발견한다고 해도 지금 상황으로는 범인을 특정 지을 단서를 발견할 수 없을 테지만, 그래도 욕이 나올 수밖에 없는 상황이다.

“일단 국과수에 현장에서 발견된 소지품들 재검사……하, 씨발.”

사건을 인계받으며 함께 넘겨받은 현장 감식 물품을 떠올린 오택수는 우와 한탄을 하며 하늘을 봤다.

그들이 현장에서 나온 물품이라고 인계받은 것이 잭나이프 하나뿐이었다는 걸 떠올렸기 때문이다.

그래서 처음 인계받을 때 왜 이것뿐이냐며 화를 내지 않았던가.

“아니, 대체 왜-!”

종혁의 눈빛이 서늘하게 가라앉았다.

“어떻게 된 일인지는 피해자 아버지를 만나 보면 알겠죠.”

‘대체 어떤 미친 새끼길래 제 딸의 억울한 죽음을 밝힐 수도 있는 단서를 유실되도록 뒀는지 면상 좀 보자.’

그렇게 셋은 살의를 애써 누르며 피해자 김가을의 집을 찾았다.

그리고…….

“아으으. 아녀하세요.”

“……씨바알-!”

하늘을 향해 울부짖는 오택수의 외침.
종혁은 눈을 질끈 감았다.

* * *

달그락!
"제, 제게 주세요, 아버님!"
최재수가 얼른 쟁반을 가져오자 그렇지 않아도 일그러진 얼굴이 더 일그러진다.
"재서하니다. 이거바께 업어여."
때가 껴 흐릿한 글라스에 담긴 보리차 석잔.
금방이라도 허물어질 듯 옆으로 기운 옛날 형태의 집을 본 종혁은 다시 울컥하고 말았다.
"아이구, 제가 보리차를 세상에서 가장 좋아하시는 건 어떻게 아시고! 안 그래도 목이 마르던 차라 정말 간절했습니다!"
"잘 마시겠습니다, 아버님!"
단숨에 반쯤 비우며 캬 탄성을 터트리는 셋의 모습에 피해자 김가을의 아버지 김복수 씨는 다시 얼굴을 일그러트린다.
아니, 웃음꽃을 피운다.
"혀사니이라거여?"
"예. 형사입니다. 김가을 씨 사건을 재조사하기 위해 서울에서 왔습니다."

"으리 가으리……."

딸의 이름을 입에 담자마자 김복수 씨의 두 눈에 눈물이 왈칵 솟는다.

'돌아버리겠네, 진짜.'

종혁은 죄책감과 함께 치솟는 물기를 보이지 않고자 입을 다물며 고개를 돌렸다.

이럴 때마다 언제나 미쳐 버릴 것 같다. 이런 류의 사건을 참 많이 겪었는데도 결코 나아질 생각을 안 한다.

피해자 유족에게 종혁은 언제나 죄인이었다.

"후. 힘드시겠지만 그때 어떤 상황이었는지 말해 주실 수 있겠습니까?"

애써 진지한 표정을 짓는 그.

김복수 씨도 눈물을 훔치며 떠올리고 싶지 않았던 기억을 애써 떠올렸다.

"바메 무자가 아서여."

"문자요?"

종혁은 당황했다. 사건 파일에 그런 내용이 없었기 때문이다.

김복수 씨는 두 모녀가 환하게 웃으며 찍은 사진 액자가 놓인 TV 옆 충전기에 꽂혀진, 2000년에 출시된 핸드폰을 빼내 종혁에게 내밀었다.

—아바. 미안. 나 오느ㄹ 친구 집에서 자고 가.

오타가 있지만, 평범한 문자였다.

"그러데 도라사서 새가하니가 머가 이사해서여."

"왜요? 돌아서서 생각하니 어떤 부분이 이상하던가요?"

"그에……."

딸은 언제나 문자 끝에 하트를 붙였다.

그리고 자신을 칭할 때 '나'가 아니라 언제나 '사랑하는 아빠 딸 가을이'라고 말했다. 발신자 서비스라는 헛돈을 쓰기 싫다며 그렇게 했다.

어차피 전화가 와 봐야 부산에 계시는 아버지나 딸 가을이 전부였기에 그도 그러라고 했다. 어차피 마을 사람들이야 집 전화로 하기에.

아무튼 딸이 너무 오지 않아서 안절부절못하던 차에 날아온 문자에 뭔가 좀 이상했지만 그땐 별일 없구나 하며 무심코 넘겼다.

왠지 잠을 설치긴 했어도 그랬다.

다음 날, 자주 신세를 지던 마을 입구 슈퍼 아주머니가 그의 이름을 울부짖으며 달려오기 전까지만 해도 말이다.

"마중을 나가실 생각은 안 하셨나요?"

정말 잔인한 물음이다.

피해자 유족에게 왜 상황이 이상하다 느꼈으면서도 대처를 안 했냐는 물음.

그러나 중요한 물음이다. 형사는 피해자에 대해 모든

걸 알아야 하기 때문이다.

하지만 그걸 느끼지 못한 건지 김복수 씨의 눈이 아련해진다.

"가으리가 시러해서여. 다치다거."

설상가상 야맹증까지 있는 김복수 씨. 마중을 나올 때마다 이러면 나 집에 안 들어올 거라고 엄포를 놨고, 실제로 몇 번 친구 집에서 자고 온 적이 있다.

그래서 차마 나가 볼 생각을 못했다.

종혁은 문자가 도착한 시간을 살폈다.

'12시 26분……. 이 개새끼!'

피해자 김가을의 사망 추정 시각 10시 20분부터 12시 10분 사이. 누가 봐도 김가을을 죽인 범인이 문자를 보내 위장을 한 거다.

이제 더 이상 이 사건은 우발적인 범행이 아니게 됐다.

그런데 이걸 형사가 무시한 거다.

마지막 발신 위치만 확인됐어도 범인을 특정 지을 확률이 높아졌을 텐데도 말이다.

"하지마아 나가알 걸…… 내가……."

"아버님!"

화들짝 놀란 김복수 씨가 종혁을 본다.

종혁은 다 마신 컵을 내밀었다.

"물 한 잔 더 주실 수 있겠습니까? 물이 참 맛있네요. 아버님 음식 솜씨가 이거십니다."

"죄송하지만, 저도 부탁드립니다, 아버님."

"저도요!"

"……니에."

허허허 웃음을 흘리며 일어선 김복수 씨는 부엌으로 향했고, 오택수가 종혁을 봤다.

"그런데 김복수 씨는 왜 여기에 계신 거야? 저런 몸이신데."

강철선에게 부탁한 김복수의 아버지 김영임. 피해자 김가을의 할아버지는 부산에 위치한 중학교의 선생님이었다.

"저렇게 장애를 안고 태어나셔서 김영임 씨에게 많이 미안하셨대요. 그래서 중학교 졸업하자마자……."

가출해서 서울로 상경해 노가다를 하다가 지금은 타계하신 부인을 만나 여기까지 오게 됐다고 했다.

유복하지 못한 가정에서 4남 4녀 중 유일하게 장애를 안고 태어난 김복수 씨. 장애를 고치기 위해 막대한 돈을 쓰면서 안 그래도 풍족하지 못했던 가세가 점점 기울어 가자 그런 결정을 내렸다고 한다.

"어휴……. 왜 울려고 해, 이 새끼야. 눈물 보이지 마. 보이면 죽여 버린다."

"큽! 네."

달그락!

붉어진 눈시울을 연신 훔치던 최재수는 얼른 쟁반을 가져왔다.

진하고 구수해서 더 서글픈 보리차를 한 모금 마신 종

혁은 다시 입을 뗐다.

"혹시 김가을 씨와 친하게 지낸 학생이 있었습니까?"

"이서여. 재으니…… 시인재으니."

초등학교 때부터 만날 같이 붙어 다니던 단짝 친구 신재은.

"신재은 학생이 이 동네에 사나요?"

김복수 씨는 고개를 저었다.

"그럼 이 동네에 김가을 씨 또래가 있습니까?"

김복수 씨는 손가락 두 개를 폈고, 종혁은 눈을 빛냈다.

미성년자. 용의선상에 올릴 수 있는 인물들이다.

종혁은 그들의 주소와 이 마을에서 친하게 지낸 사람, 평소 피해자 김가을에게 관심을 보인 사람 등 여러 가지를 물은 후에야 질문을 멈출 수 있었다.

"떠올리기조차 괴로운 일이셨을 텐데 협조해 주셔서 정말 감사합니다. 그럼 마지막으로 한 가지만 더 여쭙겠습니다."

잠시 망설였던 종혁은 입을 열었다.

"사건 당시 김가을 씨가 입은 교복이나 소지품은 어떻게 되셨는지 아십니까?"

"자시마안여."

몸을 일으킨 김복수 씨는 다리를 절뚝이며 안방으로 들어가 박스 하나를 들고 왔다.

종혁과 둘의 눈이 흔들렸다.

'이게 왜 여기서 나오는데!'

박스 안에 다 있다. 변색된 혈흔이 가득한 교복과 옷가지, 신발, 가방.

"혀사니임이 피려 어따고. 태어 버리라거. 하지마안……."

형사는 태워 버리라고 했지만, 어떤 부모가 이걸 버릴 수 있을까.

종혁은 순간 울컥 치솟는 감정에 눈을 질끈 감으며 이마를 잡았다.

"후우우. 예, 감사합니다. 그럼 저흰 가 보겠습니다. 아니요! 나오실 필요 없으세요."

만류에도 대문 밖까지 나온 김복수 씨는 허리를 숙였다.

"꼬 자바 즈세여. 부타하니다. 꺼으윽! 제바알! 제바아아아!"

결국 터져 버린 분노와 설움, 그리고 한.

"예. 꼭 그러겠습니다."

이 말밖에 할 수 없어 더 괴로운 종혁은 이를 악물며 몸을 돌렸다.

그렇게 얼마나 걸었을까.

돌연 오택수가 냉랭한 목소리로 말했다.

"그 개새끼 만나면 나 절대 말리지 마라."

범인 새끼가 아니라 형사, 아니 견찰 새끼.

자기 정년이라고 사건을 허투루 취급한 게 분명한 씨발 새끼.

절대 경찰이라고 불리면 안 되는 호로 새끼.
"걱정 마세요. 내가 먼저 죽여 버릴 테니까."
까드드득!
셋의 몸에서 살기가 넘실거리기 시작했다.
"후. 일단 신재은 씨부터 만나러 가죠."
"그래. 가자."

* * *

"큽. 도움이 못 되어 죄송합니다."
"아닙니다. 협조 감사했습니다. 혹시라도 더 떠오르는 게 있으면 언제든 이 번호로 연락 주세요."
"형사님! 제발 범인 꼭 잡아 주세요!"
"예."
종혁은 어깨를 늘어트리며 돌아섰다.

"후."
"하아."
"와, 미쳐 버리겠네."
이젠 해가 모두 진 저녁. 다시 피해자 김가을과 김복수 씨 부녀가 함께 산 마을로 돌아온 셋은 담배를 뻑뻑 피울 수밖에 없었다.
피해자 김가을의 절친 신재은을 만나 많은 걸 묻고, 또 주변 탐문을 했는데도 건진 게 없기 때문이다.

"스토킹도 아니고."
"일진 새끼들이 저지른 범죄도 아니었죠."
셋이 정체를 밝히자마자 눈물을 쏟아 내며 제발 범인을 잡아 달라고 절규하던 신재은.
그녀가 밝힌 피해자 김가을은 너무나 참한 여고생이었다.
이런 가정에서 자랐으면서도 구김살이 없고, 교우 관계가 두루두루 좋았던 피해자 김가을. 수시로 고백을 받았지만, 나쁘게 끝낸 적은 단 한 번도 없다고 했다.
주변 탐문 결과 그녀의 진술은 진실로 판명됐다.
일진은 쥐 잡듯 잡으며 파 봤지만, 뭔가를 숨기는 기색은 없었다.
"그럼 다시 돌아와 이 동네라는 건데……."
마을에서 겨우 180미터 떨어진 곳에서 범행이 이뤄졌다.
"일단 근처에 숙소를 잡고 내일 다시 탐문을 진행해……."
우글우글!
"……뭐야, 저거."
고개를 돌린 셋의 입에서 자신들도 모르게 흘러나오는 말. 동남아인들이 목소리를 높이며 이쪽을 향해 다가오고 있었기 때문이다.
종혁과 오택수는 다급히 주위를 둘러봤다.
"숙소로 쓸 법한 건물은 없는데?"
죄다 주택이다. 그래서 저들 중 범인이 있을 거란 가능성을 뒤로 밀어 놓지 않았던가.

얼굴을 와락 구긴 둘은 재빨리 동남아인들을 향해 달려갔다.

“저기요! 잠깐만요!”

* * *

형사란 걸 밝히자마자 도망치려다 잡혀 호되게 얻어맞은 몇 명까지 합해 8명의 동남아인들은 앞에 놓인 술들을 보며 군침을 흘리면서도 경직된 자세를 풀지 못했다.

“당신들을 잡아가려는 게 아니니까 너무 걱정 말고 드세요. 그러게 왜 도망을 쳐서…… 쯧.”

“우리 비자 없다. 잡아가는 줄 알았다!”

눈가에 멍이 든 한 동남아인이 억울하다며 버럭 했다.

“그렇다고 목소리를 높이진 말고, 새끼야. 확 그냥.”

세 명이서, 아니 한 명은 비자를 받고 온 네 명을 붙잡고 있어야 했는지라 두 명이서 네 명을 잡아야 했는데 진땀을 제대로 뺐다.

“미안해, 뽈리스…….”

“알았으니까 마시기나 해요. 따뜻한 음식 앞에 두고 제사 지내지 말고.”

지금은 문을 닫은 동네 입구 슈퍼 앞 두 개의 플라스틱 테이블에 펼쳐진 족발에 보쌈, 소고기 편육에 치킨, 이 시간에 살 수 있는 모든 음식과 양주, 소주, 맥주, 막걸리의 향연.

침만 꼴딱꼴딱 삼키던 그들은 결국 음식의 유혹을 참지 못해 눈을 질끈 감으며 흡입을 시작했다.

"마, 맛있어!"

"흑! 이게 얼마 만에 먹어 보는 요리야!"

요리를 먹는다고 해도 만날 대량으로 조리되는 식당음식만 먹은 그들.

고향에서 고생할 가족에게 돈을 모두 보내고 나면 치킨은커녕 맥주 한 캔 사 먹을 돈도 부족해서 언제나 굶주렸던 그들은 폭주를 할 수밖에 없었다.

"뽈리스. 좋은 사람. 좋은 사람!"

"좋은 사람! 사랑해, 뽈리스!"

"그래요. 많이 먹어요."

순박한 건지, 정신이 없는 건지, 아님 모자란 건지 방금 전 얻어터졌어도 엄지를 치켜세우는 그들을 보자니 웃음만 나왔다.

종혁은 담배를 물었다.

"그런데 왜 여기 살아요. 보통 숙소는 원룸 같은 거 아니에요?"

보통 이런 공단은 공장끼리 돈을 합치거나 각 공장마다 따로 외국인 노동자들을 잘 수 있는 숙소를 계약하는데, 원룸이 주택보다 가성비가 높기에 거의 원룸을 선호한다.

그래서 공단 주변에는 원룸들이 많다.

“그거 작년에 불탔다. 활활. 저기.”

“맞아. 세탁소도 없어졌다. 손빨래 손 아파.”

“숙소 바꿔 준다고 해 놓고 안 준다. 나쁜 싸장님.”

“아, 그래서 저기에 공터가…….”

마을 입구 오른쪽에 넓게 공사 펜스가 쳐져 있기에 뭔가 했더니 그것 때문인 것 같았다.

고개를 끄덕이던 종혁은 음식이 거의 사라진 테이블을 보곤 입을 열었다.

“혹시 재작년에 여기서 일한 사람 있어요?”

서로를 본 그들은 이내 고개를 저었다.

“나 작년에 왔다. 이 형 씩스 먼스 전에 왔다.”

여기 있는 사람들 중 최장 체류 기간이 1년을 넘긴 사람이 없다. 절로 한숨이 나오는 말들이다.

“그럼 혹시 재작년에 여기서 어떤 일이 일어났는지 알아요?”

“아, 그거. 들었다.”

그들은 다시 서로를 봤다.

“그거 또래 학생이 범인이라지 않았어?”

“으응. 아닐걸? 여기 사는 애들 중 남자는 베에에 이거잖아. 나머지는 여학생이고.”

“그럼 누구야?”

“몰라.”

종혁은 그들이 모국어로 떠드는 말에 눈을 빛냈다.

‘남녀 학생이 사는데 남학생이 장애인이라고?’

"들었는데 모른다. 안 잡혔다. 우리 싸장님, 그거 우리 중에 있다고 했다. 그래서 더 일 시킨다. 다른 생각 못하게?"

"나도 그런다. 씨발, 싸장님. 신고하고 싶다."

"신고하면 너 잡혀가."

"뭐?! 너희 중에 있다고?"

"그렇게 말했다! 하지만 아니다!"

"뭐가 아니야! 똑바로 말 안 해, 이 새끼들아! 너희지? 너희 맞지?!"

오택수가 다시 시동을 걸자 그들은 다급히 손을 저었다.

"우리 고향에 가족 있다! 돈 벌어야 한다! 그런 짓 왜 한다!"

"맞다! 우리 돈 마니 마니 벌어야 한다!"

"그런 짓 하면 마누라에게 맞아 죽는다! 내 마누라 코끼리다!"

진심으로 억울함을 피력하는 그들.

그들의 행동이나 제스처, 모든 신체적 신호를 살핀 종혁은 과열된 공기를 진정시켰다.

"알겠으니까 진정해요. 오 경위님도 진정하시고요."

"……씨발."

벌떡 일어난 오택수는 담배를 물며 멀찍이 떨어졌고, 종혁은 씩씩거리는 동남아인들을 봤다.

"우리 진짜 아니다!"

"알아요. 아마 그 사장도 당신들이 다치지 말라고 그런 말을 한 걸 거예요. 괜히 외국인이 몰려다니면 안 좋게 보니까."

"……그건 맞다. 하지만 의지할 사람 애들뿐이다."

"우리 서로 의지한다. 외롭다."

종혁은 침울해진 그들을 다독이다 진정될 때쯤에야 입을 열었다.

"그럼 혹시 재작년에 여기 있었던 사람은 아세요?"

그 사람에게 단서가 있을 수 있기에 중요한 질문이었다.

하지만…….

"모른다. 없다."

"예? 왜요?"

"우리 길어야 1년 일한다. 그리고 다른 도시 공장 간다."

"응. 단속 피해야 한다. 나 다음 달 간다."

'니미럴…….'

다시 원점.

최재수는 이들에게 왜 비싼 돈 들여서 이런 걸 사 줬나 하며 얼굴을 구겼다.

하지만 종혁은 아니었다.

방금 전 제법 중요한 말이 나왔다.

"어떻게요?"

"응?"

"어떻게 다른 도시 공장으로 가는데요?"

"그야 브로…… 억?!"

콱!

옆구리에 손끝이 꽂힌 사람은 옆 사람을 보며 억울해했다.

종혁은 그에 재차 눈을 빛내며 그들의 빈 잔에 술을 따라 줬다.

"당신들에게 절대 피해를 주려는 게 아니에요. 피해가 가지도 않을 거고요. 뭐 어쩌다 혹시 무슨 일이 생겨도 우리만 입을 다물면 아무도 모르잖아요. 안 그래요?"

"……진짜냐?"

종혁은 지갑 속에 있는 수표 8장을 꺼내어 테이블에 내려놨다.

백만 원짜리 자기앞 수표.

"가짜겠어요?"

꼴깍.

"텔폰 번호! 이름! 외모! 필요한 거 뭐?"

종혁은 너도나도 손을 드는 그들을 보며 씩 웃었다.

* * *

"하. 이러면 정말 그놈들 중에 있다는 건데……."

일주일을 더 머물며 조사를 한 결과, 가능성은 한 가지만 제외하고는 모두 사라졌다.

외국인 노동자, 불법 체류자.

전학이나 이사를 갔다는 몇 명까지 수배해 조사한 결과, 그 공단을 스쳐 지나간 사람들 중 한 명이 범인일 확률이 기하급수적으로 높아졌다.

"명단이 남아 있으면 좋을 텐데……."

불법 체류자까지 중개 알선을 하는 놈들이 그런 독이 될 자료를 남겨 뒀을까.

"뒤집어 보면 알겠죠. 벌써부터 포기하진 맙시다."

"그래. 가자, 가. 하아…… 야, 최재수. 뭐해? 안 가?"

"굿 캅, 배드 캅이었죠? 맞죠?!"

뜬금없는 소리에 종혁과 오택수는 고개를 모로 기울였다.

"그때요! 외노자들 상대할 때! 와, 어떻게 그렇게 합이 딱딱 맞았어요? 나 모르게 짰어요?"

일주일 전의 상황을 떠올린 둘은 고개를 저었다.

"와. 진짜 이걸 언제 형사 만들지?"

"수고하십쇼."

"너도 같이 해야 돼. 새끼야."

둘은 연신 탄식을 터트리는 최재수를 무시하며 차로 향했다.

부우웅! 끽!

"여기부터 뒤지게?"

주방 찬모, 홀 서빙, 일용 등의 단어가 적힌 성철직업

알선소.

그들이 말한 중개 알선소 중 한 곳이다.

딸랑.

문을 열고 들어가니 소파와 허름한 책상에 앉아 있던 사람들이 시선을 보낸다.

오택수는 공간의 안쪽 허름한 책상에 앉아 있는 덩치 큰 오십대 중년인을 향해 걸어가 입을 열었다.

"실례합니다. 경찰입니다. 사람 좀 찾으려고 왔는데요. 혹시 재작년에 저기 공단에서 일한 외국인이 누구누구인지 좀 볼 수 있을까요?"

움찔!

몸을 굳히며 오택수를 힐끔 봤던 장년인이 다시 장부 같은 걸 본다.

"여기 외노자 취급 안 해요."

"듣고 왔는데, 좀 알려 주시면 안 되겠습니까? 명단만 확인하면 갈 건데."

"거 안 한다니까. 아야, 뭐허냐! 손님 가신다!"

종혁은 소파에서 몸을 일으키는 덩치들을 보며 키득키득 웃었고, 오택수는 한숨을 푹 내쉬었다.

"하, 이 새끼들은 꼭 이러더라. 경찰이 정중히 협조를 해 달라고 할 때 협조를 해 주면 어? 벌금만 좀 맞고 끝일 텐데 어?!"

몰랐다, 다음부터 안 그러겠다 그러면 일을 하는 데 지장도 없다.

"야, 최재수! 문 잠가!"
"예, 옙!"
최재수는 황급히 문을 잠갔고, 소파에서 일어선 덩치들이 얼굴을 구기며 다가왔다.
"어이, 짭새들. 너희 지금 뭐하냐?"
"뭐하긴."
중얼거린 종혁은 몸을 돌리며 냅다 주먹을 꽂아 넣었다.
쩌억!
"일단 패고 시작하는 거지."
종혁은 줄이 끊긴 인형처럼 쓰러지는 동료를 멍하니 바라보는 다른 덩치의 턱을 들이받았고, 오택수는 벌떡 일어나는 알선소 사장의 머리를 붙잡아 그대로 찍어 버렸다.
한바탕 난장판이 벌어졌다.

* * *

"씩! 씨익!"
쌍코피가 터지고 눈가에 멍을 단 사장이 오택수를 노려본다.
"혀, 형사가 선량한 시민에게 이래도 돼?! 나 이거 신고할 거여! 너희 어느 서여! 내가 어? 너희 서장들이랑 어?!"

"본청, 씨발라마. 본청."

"……예?"

'본청? 저승사자들만 있다는 거기?'

광수대, 마약대 이름만 들어도 살벌한 수사과들이 넘쳐난다는 본청. 그쪽에서 저렇게 하라면 이런 도시의 형사들이 군말 없이 따라야 한다는 본청.

"신고할 거라고? 해. 그런데 대신 너 탈탈 털릴 건 각오해라. 내가 씨발 아주 네 마누라, 네 자식, 부모, 사돈에 팔촌까지 싹 다 털어 버릴 테니까. 뭐해? 신고 안 하고?"

"아, 아니 형사님들. 그게요……."

"재작년 명단 가져온다. 실시."

"시, 실시!"

사장은 얼른 옆에 놓인 캐비닛을 뒤지기 시작했고, 종혁은 실례합니다 하며 들어오는 경찰들을 막아섰다.

신고를 받고 출동한 듯 잔뜩 긴장한 얼굴로 들어오던 그들.

"아아, 괜찮아요. 본청 특수범죄수사과의 최종혁 경위입니다."

"끅?! 추, 충성!"

"그냥 뭐 좀 물어보려다 작은 의견 충돌이 있었던 거니까 여긴 신경 끄시고 돌아가시면 됩니다. 그리고 이건 저희 때문에 수고하셨으니까 가시면서 음료수라도 사 드세요."

"어이구, 뭘 이런 걸 다……. 그런데 박 소장은 괜찮은 거죠?"
"예, 그럼요. 조심히 들어가세요."
"충성!"
"야, 종혁아. 찾았다!"
순간 눈이 뒤집어진 종혁은 날 듯 오택수에게 다가갔다.
그리고 이내 탄식을 터트렸다.
총 28명.
이곳에서 알선한 외국인 노동자와 불법 체류자들 중 사건이 벌어진 이후 떠난 이들의 숫자다.
"사장님, 이 사람들 지금 수배됩니까?"
"아, 안 될 거여라."
"왜요?"
여권 복사본도 있고, 핸드폰 번호도 있다.
"야, 야들이 선불폰을 쓰다 봉께 번호를 거시기 해 블믄 추적이 안 된당께요."
"한 번 관리를 했는데 레이더에서 빠트린다? 지금 나보고 그걸 믿으라고요?"
"진짜여라! 야들을 오래 데리고 있어 블믄 나도 골치 아퐁께 한 반년 되믄 다른 동업자에게 넘겨 븐당께요!"
"하. 개들 연락처는 줘 봐요."
사장은 얼른 전화번호 몇 개를 알려 줬고, 오택수는 사장의 머리를 잡으며 엄포를 놨다.

“내가 씨발 지금은 그냥 가는데, 만약 지금 조사한 것과 다른 게 나오잖아? 넌 그때 병풍 뒤에서 향 맡는 거다. 알았냐?”

“야, 야! 믿어 주시랑께요!”

“그만하고 가시죠, 오 경위님.”

“이 새끼들한테도 연락하면 너 죽어. 죽는다고, 새끼야!”

“아, 좀 가자고요.”

그렇게 끌려 나온 오택수는 언제 화를 냈냐는 듯 심드렁히 귀를 후볐다.

“가자. 뭐해?”

“예, 예. 갑시다.”

오늘 안에 다섯 곳을 더 돌아야 하기에 시간이 없었다.

그들은 차를 몰고 다른 곳으로 향했다.

* * *

“환장하겠네, 진짜.”

난장판이 된 대전의 한 사무실 안.

생각대로 안 돼서 머리를 벅벅 긁던 오택수는 무릎을 꿇고 앉아 있는 사람들 중 한 명의 뒤통수를 그대로 찍어 버렸다.

“아오, 씨발! 이게 왜 여기서 끊기냐고!”

총 여섯 곳의 알선소에서 확보한 명단 속 외국인 노동자들을 인계받은 브로커들을 쫓은 그들.

하지만 중간중간 한 명씩 누락되기 시작하더니, 결국 이곳을 마지막으로 83명의 외국인 노동자들의 행방을 알 수 없게 됐다.

이러니 화가 나지 않을 수 없는 거다.

종혁은 오택수를 힐끔 보고 통화를 이어 갔다.

"예, 예. 이 사람들이 출국한 기록은 없다고요? 추방된 기록도요? 예, 감사합니다."

-일단 공항이나 항만에 모두 수배해 놓을까요?

"아이고, 그래 주시면 감사하죠. 제가 이 은혜 꼭 갚겠습니다. 예, 예. 그럼 부탁드리겠습니다."

전화를 끊은 종혁은 오택수를 봤다.

"일단 전원 국내에 있는 것 같습니다."

"……염병, 지랄 났네."

후다닥! 쾅!

"꼼짝 마! 모두……."

"본청 특수범죄수사과 최종혁 경위입니다. 이놈들이 불법 체류자들을 대상으로 알선을 한 증거에다 공무집행 방해, 협박, 경관폭행까지 했으니 모두 체포해서 데려가세요."

"예, 예?"

"다시 말씀드릴까요?"

"아, 아닙니다! 야, 관할서에 지원 요청하고……."

바빠지는 파출소 경찰들을 일견한 종혁은 한 곳에서 죽일 듯 노려보는 이곳 두목의 모습에 한숨을 탁 내쉬었다.

뻑!

"큽?! 아악!"

"야. 야, 이 씨발새끼야. 내가 어리다고 만만하게 보이냐? 눈깔을 확 뚫어 줘?"

꿇고 앉은 무릎을 찍어 버리고 머리채를 휘어잡은 종혁은 그의 쇄골에 엄지를 걸어 잡아당겼다.

"으윽! 아아악! 으아아아악!"

"난 검거를 하다가 어쩔 수 없이 부러트렸다고 하면 돼. 시말서 몇 개 쓰면 끝이라고. 대신 넌 영원히 이쪽 팔 못 쓴다?"

"……."

종혁은 이제야 겁에 질려 고개를 숙이는 그의 가슴을 툭툭 때렸다.

"그래. 앞으로 그렇게 고개 숙이고 다녀. 길을 걷다가 눈이라도 마주치면 그땐 양쪽 다 부러트려 버릴 테니까."

"죄, 죄송……."

"아가리 열지 마. 죽여 버리고 싶으니까."

"야, 적당히 하고 가자. 배고파."

"어휴. 갑니다, 가."

한숨을 폭 내쉰 종혁은 쌍코피를 흘리며 씩씩거리는 최재수의 뒷목을 잡고 건물을 빠져나왔다.

입구를 틀어막고 있는 경찰들에게 인사를 한 그들은 차가 있는 곳으로 걸었다.

"크큭. 너도 짜증이 많이 났나 보다?"

"몰라요, 씨발."

담배를 문 종혁은 관자놀이를 눌렀다.

본청에 복귀도 못한 채 놈을 쫓은 지 벌써 20일째인데, 손에 쥔 단서가 하나도 없다.

이렇게 막막한 상황은 너무 오랜만이라 짜증이 절로 솟구쳤다.

그건 오택수도 마찬가지였다.

"와, 진짜 이 새끼를 어떻게 찾지? 아니, 찾을 수는 있나?"

전국 모든 공장과 공단, 공사장, 심지어 시골 농가나 원양어선까지 뒤져야 할 판이다.

1년 안에 용의자를 특정 지을 수 있다면 다행이다.

그마저도 하늘이 도와야 가능한 암울한 상황.

"저, 저기 오 경위님, 최 경위님."

"왜? 아니, 하지 마. 뭔 말 할지 아는데 하지……."

"그런데 그 사람들 중에 범인이 없다면……."

"씨발 새끼야!"

오택수는 최재수의 머리통을 후려쳤고, 종혁은 씁쓸히 웃었다.

"일단 믿고 진행하자. 다른 거까지 생각하면 골치만 아프다."

"예……."

"아아아아아! 진짜 언제 다 찾냐고! 씨발, 찾아오게 할 수도 없고! 야, 난 집에 전화 좀 한다!"

종혁은 핸드폰을 꺼내드는 오택수를 멍하니 응시했다.

'찾아오게 만든다?'

"그거야!"

"아, 뭔데! 아니, 조용히 해 봐!"

"됐고, 얼른 타요! 갈 곳이 있으니까!"

"여보…… 내가 다시 전화할게! 뭐야, 뭔데!"

"일단 타기나 해요!"

서로를 본 오택수와 최재수는 다급히 종혁의 뒤를 쫓기 시작했다. 종혁이 저럴 때면 뭔가 수를 냈기에 그들은 어떤 기대를 품었다.

그렇게 달리고 달려 다시 도착한 성철직업알선소.

"여긴 또 왜……."

오택수의 말을 무시하며 다짜고짜 문을 열고 들어간 종혁은 컵라면을 먹다가 얼어 버린 사장의 앞에 섰다.

"야, 사장님. 여기 키워 볼 생각 없어요?"

"예?"

"업장 규모를 더 키워 볼 생각 없냐고."

"그, 그야 당연히 없을 리가 없지라……."

"잘됐네. 그럼 나랑 영화 한 편 찍읍시다."

"예?"

"전국 브로커들 다 먹어 보는 겁니다. 외국인이 대한민국에서 일하려면 무조건 우리를 거치도록."

"……예?"

찾기가 힘들다? 그럼 찾아오게 만들면 된다.

그러면 쉬운 거였다.

"아, 이 쉬운 일을 왜 생각 못했지?"

종혁은 멍하니 쳐다보는 시선 속에서 스스로를 칭찬했다.

(회귀 경찰의 리셋 라이프 10권에서 계속)